Philip Matyszak
Legionär in der römischen Armee

Philip Matyszak, geb. 1958, wurde am St. John's College, Oxford in alter Geschichte promoviert. Er unterrichtet am Madingley Hall Institute of Continuing Education (Cambridge University) und hat zahlreiche Publikationen zur Antike veröffentlicht, im Verlag Herder ist von ihm lieferbar: *Vergessene Völker – Von den Akkadern bis zu den Westgoten.*

Philip Matyszak

Legionär in der römischen Armee

Der ultimative Karriereführer

Aus dem Englischen von Jörg Fündling

Die englische Originalausgabe ist 2009 bei Thames & Hudson unter dem Titel *Legionary. The Roman Soldier's (Unofficial) Manual* erschienen.

wbg Theiss ist ein Imprint der Verlag Herder GmbH.

Für die deutschsprachige Ausgabe:
4. unveränderte Auflage 2024.
Die 1. Auflage erschien 2010 beim Primus Verlag, Darmstadt.

www.herder.de

Satz: Anja Harms, Oberursel
Einbandabbildung: Peter Inker, © Thames & Hudson Ltd, London
Einbandgestaltung: Andreas Heilmann, Hamburg
Printed in Germany

ISBN 978-3-534-27359-1

Elektronisch sind folgende Ausgaben erhältlich:
eBook (PDF): 978-3-534-74700-9
eBook (epub): 978-3-534-74701-6

Inhalt

I Der Eintritt in die römische Armee

Conscribe te militem in legionibus. pervagare orbem terrarum. inveni terras externas. cognosce miros peregrinos. eviscera eos.
Geh zu den Legionen, sieh dir die Welt an, reise in fremde Länder, triff faszinierende Leute und reiß ihnen die Eingeweide heraus.

In diesem Jahr, 100 n. Chr., einem der ersten Jahre der Herrschaft des Kaisers Marcus Ulpius Nerva Traianus (später als Traian bekannt), kennt Roms Imperium kein Ende. Unsere Grenzen erstrecken sich bis in die Wüsten jenseits des fernen Palmyra und quer durch die Sümpfe und Nebel Britanniens. Doch überall ist Roms Sicherheit bedroht. Intrigante Elemente unterwandern die Politik und schüren Aufruhr im Staatsapparat, wilde Barbaren suchen beständig nach einer Schwäche an den Grenzen und die neidische Großmacht Parthien bedroht den gesamten Osten. Gegen diese zahlreichen Gefahren stemmen sich zwei große Bollwerke – die Weisheit und Energie unseres Kaisers und die Macht der römischen Armee, die stets getreu das römische Volk schützt und ihm dient.

Der Augenblick ist nie günstiger gewesen, zur römischen Armee zu gehen. Drei Generationen, nachdem Kaiser Augustus sie zum Berufsheer gemacht hat, ist die römische Militärmaschinerie zur tödlichsten, raffiniertesten Streitmacht perfektioniert worden, die die Welt je gesehen hat. Alles ist mit römischer Gründlichkeit organisiert, von dem Augenblick an, da sich ein Rekrut verpflichtet, bis zu der Zeit nach seiner Pensionierung (oder seinem anständigen Begräbnis). Nachdem Britannien 40 Jahre lang (militärisch gesprochen) eine der interessantesten Ecken des Imperiums war, sind die trotzigen Briten weitgehend unterworfen, und die große Zeit der Feldzüge in nassen Socken ist vorüber. Die Aufmerksamkeit gilt jetzt dem lästigen Königreich Dakien jenseits der Donau, und auch die Abrechnung mit den Parthern im Wüstensand von Mesopotamien steht noch aus.

Roms Armee besitzt die weltweit modernsten Waffen und Ausrüstung, die ihr die Spitzenposition in den Kategorien Mobilität, Feuerkraft und Schutzwirkung sichern. Ein Legionär kann sein neues Zuhause in einem Militärstützpunkt überall im Reich finden, wo er lebt und trainiert, um in Topform zu sein, wenn die Armee ins Feld zieht. Für die richtige Art Rekrut bietet die Armee Orientierung, Aufstiegschancen und geregelte Einkünfte für die nächsten 20–25 Jahre. Dieser Karriereführer will Sie durch diesen ganzen Zeitraum begleiten, angefangen damit, wo und wie Sie sich verpflichten, bis hin zu den Feinheiten von Training, Bewaffnung und Exerzieren. Er gibt Ihnen Tipps,

Die Pax Romana – der „Römische Friede“

Die Welt, soweit wir sie kennen, tritt gerade in eine Epoche beispiellosen Friedens und Wohlstands ein, die späteren Generationen als *Pax Romana* bekannt sein wird. Dieser „Friede“ heißt nicht, dass die Legionen nicht trotzdem viel Zeit damit verbringen, hinter den römischen Grenzlinien Feinde zu töten und sich töten zu lassen, aber innerhalb der Reichsgrenzen besteht eine Abmachung zwischen Rom und seinen Untertanen, dass die Untertanen nicht rebellieren und die Legionen im Gegenzug nicht ihre Städte niederbrennen und die Einwohner kreuzigen. Diese Politik funktioniert gut, verlangt von den Kaisern aber ein gewisses Maß an Geschicklichkeit und Kompetenz. Auch der wohlwollendste Kaiser pflegt potenziellen Unruhestiftern diskret mitzuteilen, dass er ein, zwei Legionen in bequemer „Plünderentfernung“ hat.

Imperator Caesar Marcus Ulpius Nerva Traianus, *optimus princeps*, Herrscher von Rom, Herr der bekannten Welt und ab sofort Ihr oberster Kriegsherr. Hier sehen wir ihn in Rüstung mit dem über einen Arm drapierten roten Generalsmantel. Traian, geboren 53 n. Chr. in der Baetica (Spanien), ist seit dem Jahr 98 Kaiser. Lang und ruhmreich möge er herrschen!

wie Sie die Schlacht und das Leben im Lager überleben, und weist schließlich den Weg in einen friedlichen, gut abgesicherten Ruhestand, wenn Ihre Tage als Soldat vorüber sind.

Wer kann eintreten?

Ohne die römische Armee gäbe es kein Rom. Soldat sein zählt zu den besten Traditionen der Stadt. Die meisten Kaiser Roms sind Soldaten gewesen und in den Tagen der Republik konnten nur wenige Politiker vor die Wähler treten und Ämter gewinnen, wenn sie nicht bereits Roms Feinden gegenübergetreten waren und Siege auf dem Schlachtfeld errungen hatten. Romulus, Cincinnatus, Cato der Censor und Cicero standen allesamt im Gefecht. Die Männer, die sie befehligten, waren römische Bürger und noch dazu Bürger von gutem Ruf, denn die Reihen der römischen Armee waren – und sind noch – für Sklaven, Verbrecher und Taugenichtse verschlossen.

> Nicht von Eltern wie diesen [Nichtsnutzen] stammten die jungen Männer, die das Meer mit Karthagerblut färbten und die Pyrrhos, den mächtigen Antiochos und den furchtbaren Hannibal schlugen. Nein, es war die mannhafte Jugend der Soldaten vom Lande, junge Männer, die gelernt hatten, den Boden mit sabinischen Hacken zu wenden und auf Geheiß einer strengen Mutter Knüppel zu bringen, die sie in den Wäldern geschnitten hatten.
>
> Horaz, *Oden* 3,6, 33–41

So schrieb der Dichter Horaz, selbst so ein Bursche vom Land, der in den Legionen diente. Obwohl Horaz seine Militärkarriere glanzlos damit beendete, dass er in der Schlacht von Philippi 42 v. Chr. seinen Schild wegwarf und um sein Leben rannte, ist doch etwas dran an seinen Worten. Römische Rekruten zerfallen in drei Gruppen – die unfreiwillig einberufenen (*lecti*), diejenigen, die zugestimmt haben, sich anstelle eines Einberufenen freiwillig zu melden (*vicarii*), und schließlich jene, die wirklich zur Armee wollen (*voluntarii*). Ein ständiger Zustrom italischer *voluntarii* mit gutem Körperbau und gutem Ruf vor dem Kasernentor ist der Traum jedes Werbeoffiziers in der Legion.

Für alle, die mit dem Gedanken spielen, die nächsten rund zwei Jahrzehnte unter Roms Adlern zu verbringen, hier eine Übersicht, was von ihnen erwartet wird.

- Römisches Bürgerrecht. In völlig verzweifelten Situationen hat man auch Sklaven und Fremde für die Legionen rekrutiert. Heute sind die Zeiten anders. Ein *peregrinus* (Nichtbürger), der eine Armeekarriere sucht, sollte es bei den Auxilia probieren. Ein Sklave, der in die Armee zu kommen versucht, wird für seine Frechheit in die Bergwerke geschickt oder sogar hingerichtet.
- Familienstand: ledig. Heutzutage dürfen römische Soldaten nicht verheiratet sein. Allerdings gibt es nichts, was einen unglücklich Verheirateten daran hindert, in die Legion zu flüchten. Die römische Ehe ist eher eine bürgerliche Verbindung als ein religiöses Sakrament, und der Eintritt in die Armee dient als einseitige Scheidungserklärung.
- Vollständiger und gesunder Körper. Die römische Armee rekrutiert sich mit Vorliebe aus Berufen wie Metzger, Schmied oder Erntearbeiter, die gern etwas Schlimmeres „niedermähen" wollen. Mit Blick auf die Berufsrisiken solcher Tätigkeiten werden die Finger an jeder Hand des Interessenten sorgfältig durchgezählt. Ein fehlender Daumen oder Zeigefinger bedeutet die Erklärung der Untauglichkeit. Es hat beschämende Fälle gegeben, in denen sich bei einem *dilectus* (einer Aushebung in Notfällen) Leute die Finger abgeschnitten haben, um dem Militärdienst zu entgehen. Wenn sich solch eine vorsätzliche Verstümmelung nachweisen lässt, wird sie hart bestraft.
- Die Körpergröße muss mindestens 5 Fuß 10 Zoll (römisch: ca. 1,66 m) betragen. Bei besonders stämmig aussehenden Einzelfällen sind Ausnahmen möglich.
- Nur für Männer. Bewerbungen von Frauen und Eunuchen sind unerwünscht. Legionsleben ist Männersache. Manchen wird es trös-

ten, dass Traian kürzlich verfügt hat, auch diejenigen dürften dienen, die einen ihrer Hoden verloren haben.

- Gute Sehkraft. „Tryphon, Sohn des Dionysios [...] entlassen durch Gnaeus Vergilius Capito [...] wegen schwacher Sehstärke nach grauem Star. Untersucht in Alexandria. Bescheinigung ausgestellt im 12. Jahr des Tiberius Claudius Caesar Augustus Germanicus am 29. Pharmouthi." (Urkunde über eine Entlassung aus dem Militärdienst vom 24. April 52 n. Chr., *Papyrus Oxyrhynchus 39*)
- Gute Führung. Eine Vergangenheit als Kleinkrimineller geht vielleicht durch, aber jeder, der sich mustern lassen will, um der Verfolgung wegen eines schweren Delikts zu entgehen, wird ohne Weiteres ausgestoßen, ebenso alle, die die Armee nutzen wollen, um sich aus der Verbannung wieder einzuschleichen.
- Das Empfehlungsschreiben. Legionsdienst ist heutzutage ein Privileg. Wie gut oder schlecht eine Soldatenkarriere anfängt, hängt wie so vieles im Römerleben von persönlichen Beziehungen ab. Wer einen Rekruten empfiehlt und mit welcher Begründung, das ist entscheidend für die künftige Laufbahn des Rekruten. Das Empfehlungsschreiben ist ein unentbehrlicher erster Schritt, und jeder, der an einen Eintritt in die Armee denkt, sollte sich darum kümmern, eine möglichst vollmundige Empfehlung von einer möglichst hochstehenden Persönlichkeit zu bekommen. Empfehlungsschreiben sind ein Teil des römischen Alltags und dienen als Referenz in allen möglichen Lebenslagen. Wer jemanden für die Armee empfiehlt, setzt sein eigenes Ansehen aufs Spiel. Es überrascht nicht, dass Empfehlungsschreiben von Armeeveteranen in der Regel sehr gut aufgenommen werden, besonders wenn sie jemand verfasst, der in der Einheit gedient hat, für die sich der potenzielle Rekrut bewirbt. Viel hängt auch davon ab, wie sehr diese Einheit zum Zeitpunkt der Bewerbung darauf aus ist, neue Rekruten aufzunehmen. Laut dem Satiriker Juvenal macht es eine Menge aus, ob man zur richtigen Zeit am richtigen Ort ist.

Traian entscheidet

Plinius [Statthalter von Bithynien in Kleinasien] an Kaiser Traian: „Der ausgezeichnete junge Mann Sempronius Caelianus hat zwei Sklaven unter den Rekruten entdeckt und mir geschickt. Doch ich habe die Urteilsverkündung aufgeschoben, bis ich dich, den Wiederhersteller und Erhalter der Militärdisziplin, über die angemessene Strafe befragt habe. [...]"

Traian an Plinius: „Sempronius Caelianus hat meinem Befehl entsprechend gehandelt, indem er solche Personen, über die im Prozess zu entscheiden ist, ob sie die Todesstrafe verdienen, an dich sandte. Es ist dabei jedoch ausschlaggebend, zu klären, ob diese Sklaven sich freiwillig gemeldet haben oder von den Offizieren ausgesucht wurden oder sich als Ersatzleute für andere meldeten [die zum Wehrdienst eingezogen wurden]. Wenn sie ausgehoben wurden, liegt der Fehler beim prüfenden Offizier; wenn sie Ersatzleute sind, bleibt die Schuld bei denen, die sie losgeschickt haben; falls sie sich aber im vollen Bewusstsein ihres Status freiwillig vorgestellt haben, muss die Strafe auf ihre eigenen Häupter fallen. Dass sie noch keiner Einheit zugeteilt sind, macht für ihren Fall keinen großen Unterschied; sie hätten nämlich am selben Tag ihre tatsächlichen Verhältnisse offenlegen müssen, als sie für diensttauglich erklärt wurden."

Plinius der Jüngere, *Briefwechsel mit Traian* (*Briefe* 10, 29–30)

Gallius, wer kann die Vorteile einer erfolgreichen Militärkarriere aufzählen? Denn ich hoffe, ich stehe unter einem Glücksstern, wenn mich die Lagertore als verängstigten Rekruten einlassen. Ein Augenblick echten Glücks bedeutet da mehr als ein Empfehlungsschreiben von Venus an Mars oder eins von seiner Mutter Juno.
Juvenal, *Satiren* 16,1–6

Sollte die Legion keine Rekruten brauchen, kann sich der Freiwillige in einer Auxiliarkohorte oder gar im Flottendienst wiederfinden. Wenn die Auswahl an Rekruten reichlich ist, bekommen die mit den

Ein römischer Werber wie der Mann ganz rechts träumt vermutlich von so einem Andrang (wie hier auf der Traianssäule) frischer, gesunder Rekruten, die darauf brennen, sich zu einem Vierteljahrhundert Dienst bei den römischen Legionen zu verpflichten. Jeder entlaufene Sklave oder gesuchte Verbrecher in der Schlange kann sich auf Abweisung und Bestrafung gefasst machen.

besten Empfehlungen die besten Jobs. „Halt diesen Brief vor dein Gesicht und stell dir vor, dass ich es persönlich bin, der mit dir spricht“, drängt der Schreiber eines solchen Empfehlungsschreibens einen Werbeoffizier, den er anscheinend von seinem eigenen Militärdienst her kennt.

Das Bewerbungsgespräch

Hat der angehende Rekrut seinen Empfehlungsbrief bekommen – die erste Waffe, die er für seine militärische Laufbahn braucht –, ist der nächste Schritt, sich zu einem Bewerbungsgespräch, der *probatio*, vorzustellen. Die *probatio* ist genau das, was ihr Name besagt. Sie ist ein Test. Er wird durchgeführt, ehe der Möchtegernlegionär vereidigt und zu seiner Einheit geschickt wird. Zweck der *probatio* ist es, sicherzustellen, dass der Mann derjenige ist, für den er sich ausgibt, und dass er außerdem einen Körperbau hat, der den Anforderungen standhalten kann, die man während der nächsten Monate und Jahre an ihn stellen wird. Das Empfehlungsschreiben wird sorgfältig gelesen, und der Gesprächsleiter wird nachfragen, wenn er das für nötig hält. Das bedeutet: Wer unter Vorspiegelung falscher Tatsachen eintritt (wie die im Briefwechsel mit Traian von Plinius erwähnten Sklaven), kann anfangs vielleicht die erste Hürde nehmen, wird später aber erleben, wie ihn langsam die Rache der römischen Bürokratie einholt.

Vereidigung

Falls der mit der Prüfung betraute Offizier an seinen angehenden Rekruten keinen Fehler entdecken kann, stellt er sie für ihren Soldateneid in einer Reihe auf. Bis zu jenem Moment, da er seinen Eid geschworen hat, ist der potenzielle Rekrut ein Zivilist und es steht ihm frei, Vernunft anzunehmen und ohne weitere Folgen aus der Kaserne wegzurennen wie ein panisches Kaninchen. Nach dem Eid ist er ein Soldat Caesars, und das Wegrennen bedeutet Desertion mitsamt der schrecklichen Strafe, die das nach sich zieht (vgl. „Disziplin“, S. 91). Einen

Moment nachzudenken ist an dieser Stelle deswegen eine gute Idee. Was in den nächsten paar Minuten geschieht, wird die nächsten 20 Jahre prägen. Oder den Rest Ihres Lebens – je nachdem, was von beiden kürzer dauert.

> Tritt vor, Rekrut Nummer eins, und schwöre bei diversen Göttern und unverbrüchlichen Eiden, dass du deinem Kommandanten folgen wirst, wohin er dich auch führen mag. Du wirst jedem Befehl mit Begeisterung und ohne Rückfragen gehorchen. Du verzichtest auf den Schutz des römischen Bürgerrechts und willigst in die Vollmacht deines Kommandanten ein, dich wegen Ungehorsam oder Desertion ohne Prozess hinzurichten. Du gelobst, unter den Feldzeichen die dir zugeteilte Dienstzeit abzuleisten und sie nicht zu verlassen, ehe dein Kommandant dich entlässt. Du wirst Rom treu dienen, und sei es unter Einsatz deines Lebens, und wirst gegenüber Zivilisten und deinen Kameraden im Lager die Gesetze achten. Glückwunsch, du bist jetzt ein Soldat Roms. Der Nächste!

Es kann sein, dass Rekrut Nummer zwei den Eid wiederholen muss, aber wenn es viele Anwärter abzuarbeiten gibt, können die folgenden Rekruten, nachdem Rekrut Nummer eins den ganzen Text vorgesprochen hat, sich verpflichten, indem sie vortreten und sprechen *idem in me* – „dasselbe gilt für mich“.

Erkennungsdienst und Marken

Nach der Vereidigung wird die Identität der Legionäre sorgfältig festgehalten. Das heißt, ihre Namen werden registriert und dazu alle Muttermäler, Narben oder besonderen Kennzeichen, mit deren Hilfe man sie als Deserteure in ziviler Tarnung erkennnen oder aus den Leichenhaufen auf einem Schlachtfeld herausziehen kann. (In zweihundert Jahren wird man sie außerdem tätowieren!)

> C. Minucius Italus an Celsianus: [...] Sechs Rekruten zum Eintrag in die Stammrolle. Namen und Erkennungsmerkmale wie folgt [...] M. Antonius Valens, Alter 22, Narbe an der rechten Stirn [usw.; die Rekrutenliste geht noch weiter]. Empfangen durch Priscus [den Inhaber des Ranges] *singularis*. Avidius Arrianus [...] von der Dritten Kohorte bestätigt, dass das Original dieser Abschrift in die Stammrolle der Kohorte eingetragen worden ist.
> *Papyrus Oxyrhynchus* 1022

Dieser Eintrag ist Beweisstück zwei in der ständig wachsenden Akte, die den Legionär auf seiner Karriere begleiten wird. Die Unterlagen lassen sich mit dem Betreffenden durch die beschriebenen Erkennungsmerkmale verbinden, dazu durch das *signaculum* („kleine Erkennungsmarke"), das der Legionär nun erhält und in einer kleinen Tasche um den Hals tragen muss. Das *signaculum* ist ein Bleitäfelchen, das für den Soldaten denselben Zweck erfüllt wie die „Hundemarken" zur Identifikation der Mitglieder späterer Armeen.

Mittlerweile verwendet man *signacula* ebenfalls zur Identifikation von persönlichen Besitzstücken und Sklaven, aber nur ein unkluger Zivilist würde in Gegenwart von Soldaten den offenkundigen Zusammenhang zwischen Letzteren und den genannten beiden Kategorien herstellen.

Auf Reisen

Vielleicht wartet schon eine kleine Abteilung Soldaten aus der Einheit, für welche die neuen Rekruten bestimmt sind, um sie zu ihrem neuen Zuhause zu führen, oder aber die Männer bekommen die nötigen Anweisungen, um auf eigene Faust hinzufinden. Das Legionsquartier kann vom Rekrutierungsort beträchtlich weit entfernt liegen, also erhalten die Rekruten ein *viaticum* – Reisegeld – zur Deckung ihrer Kosten unterwegs. Falls ein Offizier aus ihrer neuen Einheit sie begleitet, wird von ihnen erwartet, dass sie ihm ihr Geld übergeben, da der

Offizier die Route schon früher bereist haben dürfte, die besten Quartiere kennt und Gruppentarife für seine Abteilung aushandeln kann. Eventuell übriggebliebenes Geld wird auf das Konto des Rekruten eingezahlt, wenn er seinen Bestimmungsort erreicht hat.

Einzelpersonen oder Gruppen, die zu klein sind, um eine Eskorte zu lohnen, können sich für eine Reise erster Klasse entscheiden und pleite ankommen oder unbequem übernachten und mit einem netten kleinen Startkapital eintreffen. Das ist eine nützliche Einführung ins Legionärsleben. Wie Sie noch sehen werden, gibt es viele Fälle, in denen es Ihnen möglich sein wird, sich entweder dafür zu entscheiden, sich relativen Komfort zu erkaufen oder aber die Zähne zusammenzubeißen und für die Pension zu arbeiten.

Das Eintreffen bei seiner Einheit ist etwas, das ein Soldat nie vergisst. Sie ist alles an Familie, was ein Legionär für die nächsten 20 Jahre haben wird.

Longinus Longus, Feldzeichenträger der 1. Lusitaner-Kohorte, an seinen Zenturio Tituleius Longinus: Ich bestätige den Empfang von 423 Denaren und 20 Obolen; bei besagter Summe handelt es sich um hinterlegte Gelder von 23 Rekruten, die bei dieser Zenturie eingetroffen sind am 6. Thoth [3. September] im 21. Jahr des edlen Caesar, unseres Herrn Traian.

(Papyrus aus Ägypten, 117 n. Chr.)

A. S. Hunt / C. C. Edgar, *Select Papyri* II 368

II Der Legions-Schnelltest

Milites exercitati facile intellegi possunt. abundant tamen tirones periculosi.
Profis sind berechenbar. Die Welt wimmelt von gefährlichen Anfängern.

Wenn man bedenkt, dass Rom bereits rund 700 Jahre im Geschäft ist, kann man schon einen kleinen Schock bekommen, sobald man sich klarmacht, dass der Staat erst seit weniger als einem Fünftel dieser Zeit eine Berufsarmee hat. Wenn Sie davor einen römischen Soldaten finden wollten, mussten Sie bloß einen beliebigen gesunden Römer auf der Straße anhalten. Es war damals sehr wahrscheinlich, dass dieser Mann die letzten paar Monate im Feld verbracht hatte und mit seinem General – der gleichzeitig römischer Konsul war – in die Stadt zurückgekehrt war, als die Saison für Feldzüge endete.

Eine kurze Geschichte der römischen Armee

500 v. Chr. Seinerzeit war das Soldatsein viel leichter, weil Roms Feinde um die Ecke wohnten. Als Rom beispielsweise gegen die Etrusker aus Veii kämpfte, konnten ein paar Offiziere mal schnell zum Abendessen nach Hause. Die Zeit zum Kämpfen begann im Frühjahr, wenn die Armee aufgestellt wurde, und endete im Herbst, wenn man sie entließ, sodass die Männer zuhause bei der Ernte helfen konnten. Jeder römische Soldat war Bürger – und umgekehrt. Wenn sich die Bürger versammelten, um abzustimmen, wer sie anführen sollte, taten sie das in Rom auf dem Marsfeld, nach Zenturien geordnet wie die römische Armee. Als Daumenregel galt: Jede Stimme hatte etwa so viel Gewicht wie die militärische Ausrüstung des Wählers. Als Erste stimmten die Ritter ab. Pferde sind schwer, also waren die Stimmen der Ritter enorm wichtig. Als Nächste kamen die Wähler der ersten Klasse – die, die sich eine schwere Rüstung, Schwerter und Schilde leisten konnten. Offensichtlich waren das angesehene Bürger, denen man besser zuhörte – nicht zuletzt, weil der Besitz solcher Ausrüstung bedeutete, dass diese Bürger, wenn sie wütend waren, der Obrigkeit ein paar buchstäblich bohrende Fragen stellen konnten. Noch eine Konsequenz dieser Wahlmethode war, dass die meisten wichtigen Angelegenheiten normalerweise durch die Ritter und die erste Klasse entschieden worden waren, bevor das Gesindel drankam, das mit Schleudern und spitzen Stöcken in die Schlacht zog. (Und wenn man die Ritter und die erste Klasse fragte, war das gar nicht schlecht so.)

300 v. Chr. Die ursprüngliche Standardeinheit der Armee war die Phalanx, ein fester Block aus Speerkämpfern. Nur war diese große, unbewegliche Einheit nicht gerade ideal, um hochbeweglichen Stammeskriegern durch die italischen Gebirge nachzujagen, also führte die Armee im 4. Jahrhundert v. Chr. den Manipel ein. Das war eine „Handvoll“ Männer (von *manus*, lateinisch „Hand“) oder, genau gesagt, 120 Mann. Die Soldaten kämpften in drei Reihen von Manipeln.

Die *hastati* stellten die vordersten Manipel. Sie bestanden aus frischen Rekruten, die unerfahren genug waren, um tapfer zu sein, und zu jung, um am Leben zu hängen. Die Männer dieser Manipel waren mit Schwertern und mit dem ausgerüstet, was bis heute die bevorzugte Wurfwaffe der Legion ist – mit dem schweren, *pilum* genannten Speer für kurze Reichweite.

Die *principes*, der zweite Manipel, hingen schon an ihrem Leben und kämpften desto verbissener, weil sie aus Erfahrung wussten, dass ein Sieg für sie die beste Garantie war, Frauen und Kinder wiederzusehen. Diese Soldaten waren ebenso bewaffnet wie die *hastati*, allerdings konnte ihre Rüstung hochwertiger sein.

Büste, die man für ein Bild von Gaius Marius hält. Marius' Reformen betrafen nicht nur die römische Armee, sondern hatten auch weitreichende und nicht immer positive Auswirkungen auf die römische Geschichte.

Die *triarii* waren der Manipel in der letzten Reihe und bestanden aus Veteranen vom alten Schlag, die mit den langen Speeren aus der Phalanx kämpften und denen man zutrauen konnte, die Stellung zu halten, wenn alles andere versagte. Deshalb heißt der Ausdruck „es ist zu den *triarii* gekommen" bis heute, dass die Lage verzweifelt ist.

100 v. Chr. Das konservative System der Republik zerstörte der demagogische General Marius, der dringend Soldaten brauchte. Damals führte Rom einen Eroberungskrieg in Numidien und bereitete sich auf einen Verteidigungskrieg gegen Germanenstämme aus dem Norden vor. Marius schaffte die Besitzregeln ab und brachte den Staat dazu, die Ausrüstung zu stellen. Außerdem führte er die Tradition ein, jeder Legion als ihr wichtigstes Symbol einen *aquila* zu übergeben, den Adler, der für Jupiter stand. Marius machte die Legionen zur Standardformation in der Schlacht, aufbauend auf der Kohorte, und so ist es noch heute.

Ein guter General war Marius zwar, nur dachte er oft nicht über die Folgen seiner Entscheidungen nach. Seine Systemveränderungen lösten kurzfristig Probleme, während sie für die Zukunft einen Riesenärger heraufbeschworen. Sobald der Staat einmal mit dem Ausrüsten der Soldaten angefangen hatte, begann die Entbäuerlichung der Armee, denn jetzt rekrutierte man die Legionäre nicht mehr nur aus den Landbewohnern, sondern auch aus den Armen in der Stadt. Da es keine Ernte gab, zu der die Stadtrekruten nach Hause mussten, blieben viele einfach bei der Fahne und verpflichteten sich Jahr für Jahr weiter. Das war ihren Generälen nur recht, weil Rom mit Kampagnen in so entlegenen Ecken wie Griechenland und Spanien begonnen hatte. (Um sicherzugehen, dass die Armee jedes Jahr zu Beginn der Feldzugsaison im Kriegsgebiet war, verlegte man den Jahresanfang auf Januar vor, und da ist er seitdem geblieben.) Das Problem war dann da, als die Soldaten nach rund zwei Jahrzehnten, in denen sie Jahr für Jahr anmusterten, zu alt zum Kämpfen waren und vom Staat verständlicherweise eine Altersversorgung erwarteten.

80 v. Chr. In diesem Fall meinte „Staat" die Konsuln, die das nächste Gesetzespaket einbrachten, und da die Konsuln oft den Generälen verpflichtet – oder mit ihnen identisch – waren, die gerade einen Feldzug erfolgreich abgeschlossen hatten, begannen sich die Soldaten darauf zu verlassen, dass ihr General Vorsorge für ihr Leben nach dem Militär traf. Während das politische Leben in Italien immer turbulenter wurde, wurden die Generäle wichtiger und wichtiger. Die Politiker, über denen die Drohung eines Bürgerkriegs schwebte, entdeckten

Ich bin Spurius Ligustinus aus der Tribus Crustumina und ich komme aus einer Sabinerfamilie. Mein Vater hat mir einen Viertelhektar Land hinterlassen und die kleine Hütte, in der ich geboren und aufgewachsen bin. Dort lebe ich heute noch. […] Ich habe 22 Dienstjahre in der Armee verbracht und bin nun über 50 Jahre alt. Aber selbst wenn ich meinen Dienst nicht fertig absolviert hätte und wenn ich aus Altersgründen nicht dienstbefreit wäre, dann wäre es immer noch richtig, wenn ich entlassen würde.

Livius, *Römische Geschichte* 42,34,2; 11–12

schnell, wie weitsichtig es war, große Mengen von arbeitslosen Einzelpersonen, die über beträchtliche Erfahrung in Nahkampfsituationen verfügten, nicht unnötig zu verärgern. Für Generäle wie Sulla und Pompeius wurde es zu einem Hauptziel, ihre Veteranen kampflos auf ein gutes Stück Land zu bekommen, nicht zuletzt, weil sich die Generäle dadurch die Dankbarkeit der Veteranen sicherten. Und falls es nötig wurde, waren diese Veteranen normalerweise bereit, wieder zum Schwert zu greifen, um sich zu revanchieren.

> [Octavian] griff nach dem Konsulat, als er 20 war. Er brachte die Legionen in bedrohliche Nähe der Stadt [Rom] und schickte Gesandte, die im Namen der Armee den Konsulat für ihn forderten. Als der Senat zögerte, schlug der Anführer der Abordnung, ein Zenturio namens Cornelius, seinen Mantel zurück und ließ seinen Schwertgriff sehen. Er teilte dem Senat ohne Hemmungen mit: „Das wird ihn zum Konsul machen, wenn ihr es nicht macht."
> Sueton, *Leben des Augustus* 26,1

31 v. Chr. Die politische Krise gipfelte in den 18 Jahren zwischen 49 und 31 v. Chr., als die Armeen des Pompeius gegen die Caesars kämpften und dann Octavian (der spätere Augustus) gegen Marcus Antonius antrat. (Für die Einzelheiten der großen triumviralen K.-o.-Runde der innerrömischen Endausscheidung, bekannt unter dem Namen Bürgerkriege, empfehlen wir die Historien Appians.) Man schätzt, dass in diesen 18 Jahren innerer Auseinandersetzungen fast eine halbe Million Männer zu den Waffen gerufen wurde. Selbst wenn wir rund 50 Prozent Schwund durch Tod, Ruhestand oder Desertion während dieser Zeit einkalkulieren, blieben damit noch immer gut 60 Legionen im Einsatz. Von den Soldaten abgesehen, die anderswo im Reich dienten, erschienen 47 Legionen zum Höhepunkt der Bürgerkriege, der Schlacht bei Actium 31 v. Chr. Hier kämpfte Octavian mit Marcus Antonius und Kleopatra um die Herrschaft über die uns bekannte Welt. Als der Rauch sich verzog, war es Octavian, der als Letzter noch

Dieser Silberdenar des Marcus Antonius wurde kurz vor der Schlacht bei Actium geprägt und zeigt in weiser Voraussicht eine gefechtsklare Trireme. Bei Actium waren zwar mehr Legionen anwesend als jemals sonst in der römischen Geschichte, aber viele Soldaten schauten bloß zu, während sich das Schicksal des Imperiums zur See entschied.

auf den Beinen war und, indem er Antonius' Männer seiner eigenen Streitmacht einverleibte, eine der größten Armeen erbte, die die Welt je gesehen hat.

Die augusteische Neuordnung

Allen Vorteilen einer supergroßen Armee zum Trotz, einen unüberwindlichen Nachteil gab es: Der römische Staat konnte sie sich nicht leisten. Selbst heute noch, über 100 Jahre später, ist der Unterhalt der Armee die größte Belastung für die Staatskasse – tatsächlich ist dieser Ausgabenposten, wenn man Bauprojekte wie Straßen dazurechnet (die übernimmt sowieso häufig die Armee), größer als alle übrigen Staatsausgaben zusammen. Octavian musste der Armee schnell eine Schlankheitskur verordnen und um die 100 000 Mann entlassen, und zwar so, dass sie keine Einwände gegen ihre Entlassung hatten.

Die Lösung des Problems war typisch für den raffiniertesten Politiker Roms. Octavian war entscheidungsfreudig, rücksichtslos und effizient. Er nahm einfach vielen wohlhabenden Gemeinden Italiens das Land weg und gab es den Ex-Soldaten. Das sorgte für große Bestürzung bei den italischen Völkern, aber da die Landräuber Armeeveteranen waren, wäre es äußerst unklug gewesen, allzu lautstark zu protestieren. Horaz, der oben erwähnte Soldat, der auf Dichter umgeschult hatte (s. S. 10), schrieb seine frühen Gedichte als herbe Anprangerung der Leiden, die diese Neuordnung in seiner Heimatstadt ausgelöst hatte. Doch wie viele andere auch verwandelte er sich unter dem Eindruck der Vorzüge des Friedens im Kaiserreich nach und nach in eine Stütze der Regierungspartei.

Hilfreich war auch, dass viele der Soldaten, denen man jetzt den Abschied gab, Eingezogene waren, die darauf brannten, heimzukehren. Außerdem erlaubte die Eroberung Ägyptens es Octavian, denjenigen eine Prämie in bar zu geben, die kein Land in Italien oder in einer der Kolonien wollten, die die Reichsregierung in den Provinzen ansiedelte. Von 60 Legionen unter Waffen ging Rom zu 28 über, was kurzfristig hunderte Millionen Sesterzen kostete, aber auf lange Sicht gigantische Summen einsparte.

Nach 6 n. Chr. wurde das Verfahren, wie man Soldaten nach ihrem Abschied ansiedelte, durch die Einrichtung des *aerarium militare*, der Militär-Staatskasse, auf die heutige Grundlage gestellt. Augustus (wie Octavian sich inzwischen nannte) gründete einen Fonds, indem er 170 Millionen Sesterze aus seinem Privatvermögen in den Spartopf steckte. Später bestand er darauf, dass die Bürger von Rom den Fonds durch Zwangsbeiträge flüssig hielten, nämlich durch eine Mehrwertsteuer von einem Prozent auf Versteigerungen und fünf Prozent Erbschaftssteuer (außerdem gibt es für die eigentliche Staatskasse eine allgemeine Steuer von zehn Prozent – und auch davon kriegt die Armee einen ganzen Batzen, wie wir gesehen haben).

Es wäre zwar nicht richtig, wenn man sagte, dass Augustus eine halbprofessionelle Armee aus Bürgersoldaten vorfand und in ein reguläres stehendes Heer umwandelte, denn die Vorgänge, die die römische Armee seiner Zeit entstehen ließen, waren schon vor der Zeit Caesars im Gang gewesen. Doch auf jeden Fall schuf Augustus klare Verhältnisse und machte aus Gewohnheiten verbindliche Vorschriften; die Armee, die er bei seinem Tod hinterließ, ist eindeutig schon die von 100 n. Chr.

Augustus war es auch, der die Dienstzeit auf 20 Jahre festlegte (woraus in der Praxis eher um die 25 Jahre wurden) und es den Sol-

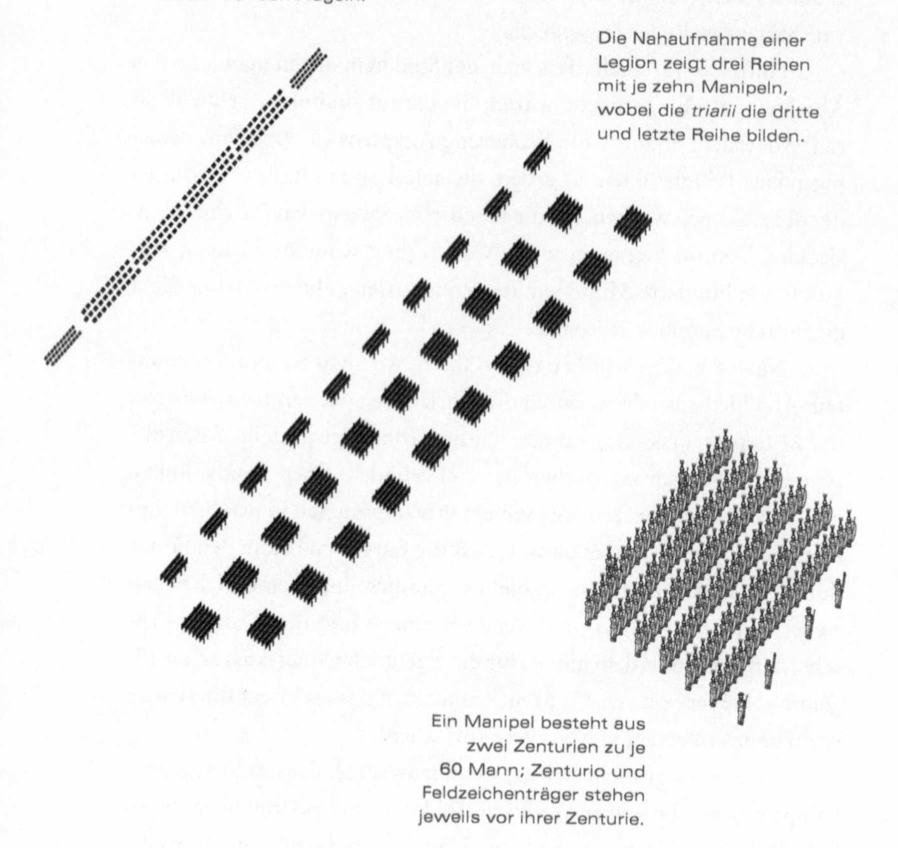

Schaubild einer Legion in Manipulartaktik. Die Aufstellung der Männer in kompakten, halbautonomen Blöcken verlieh der Legion große Flexibilität, dank der die Römer Feinde wie die kompakte, aber schwer manövrierbare makedonische Phalanx zerschmettern konnten.

Die Kohorten und Kopfstärken

Kohorten umfassen jeweils sechs Zenturien, und weil die Zenturie von 100 auf 80 Mann geschrumpft ist, ergibt das 480 Mann pro Kohorte. Zehn Kohorten à 480 Mann ergeben eine Legion oder 6000 Soldaten. Wer eine Planstelle beim Zahlmeister möchte, wird eine Unstimmigkeit in diesen Zahlen bemerkt haben, denn mit CDLXXX Mann mal X Kohorten komme ich nicht auf MMMMMM Soldaten. Die zusätzlichen Leute, die die Zahl wirklich auf 6000 bringen, kommen von der ersten Kohorte, die eine Einheit doppelter Stärke mit 800 Mann ist. Tatsächlich sind 6000 Mann das absolute Maximum – inklusive Köchen und Reserven. Im rauen Alltag sind die Legionen immer chronisch unterbesetzt, also ist man mit 4800 in einer Durchschnittslegion wahrscheinlich näher dran an der tatsächlichen Zahl der Soldaten.

daten verbot, in dieser Zeit zu heiraten. Augustus verdankt es ein Soldat, der entlassen wird, außerdem, dass er sich auf eine Abfindung im Wert von rund 14 Jahresgehältern freuen kann.

Welche Legion passt zu mir?

Denken Sie immer daran, dass sich eine Legion hauptsächlich aus ihrem Stammbezirk rekrutiert, der üblicherweise mit der Provinz zusammenfällt, in welcher die Legion stationiert ist. Deswegen muss ein Rekrut, der auf einen bestimmten Standort aus ist, sicherstellen, dass er sich auch am richtigen Ort verpflichtet. Darum folgt hier ein Schnelldurchlauf, welche Legion wo steht, zusammen mit ein paar Bemerkungen über ihre Geschichte. Alles wäre viel einfacher, wenn die Legionen bei Legion I anfingen und bis Legion XXVIII durchliefen, aber die turbulente römische Geschichte hat in diese klare Linie ein paar dicke Knoten gemacht.

Zuerst einmal hatten noch vor der augusteischen Neuordnung die unruhigen Zeiten dafür gesorgt, dass ein paar Legionen lange genug fortbestanden hatten, um eine eigene Identität samt Traditionen zu entwickeln. Manche von ihnen waren auf Antonius' Seite gewesen und hatten nur unter der Bedingung kapituliert, dass die Legion bestehen blieb. Deswegen tragen die Legionen X, XIII und XIV alle den Namen Gemina, also „Zwilling“. Sie sind das Ergebnis von Fusionen, wenn zum Beispiel eine augusteische und eine antonianische Legion mit derselben Nummer aus Kosten- und Sicherheitsgründen zu einer einzigen Einheit zusammengelegt wurden.

Sollte jemand gern zur Legion XVII, XVIII oder XIX wollen, muss er sich leider einen Dolch nehmen und in den düsteren Tiefen des Teutoburger Waldes in Germanien Selbstmord begehen, wo diese Legionen 9 n. Chr. durch einen Hinterhalt des Abtrünnigen Arminius ausgelöscht wurden. Ihre Nummern sind nie wieder vergeben worden, obwohl Caligulas Aufstellung zweier frischer Legionen namens XV Primigenia und XXII Primigenia von 39 n. Chr. die Armee wieder auf ihre Sollstärke gebracht hat. Der Name Primigenia bezieht sich wahrscheinlich auf Fortuna Primigenia, die manche für Jupiters erstgeborene Tochter halten. Die XV Primigenia kapitulierte 69 n. Chr. vor dem Feind und wurde zusammen mit mehreren anderen unehrenhaft aufgelöst. (Lesen Sie die Werke des Historikers Tacitus, wenn Sie die Geschichte der Aufstände und Kriege dieser Epoche erfahren möchten, in der mehrere Legionen in Schande von der Armeeliste gestrichen wurden.)

Ungefähr 66 n. Chr. plante Nero eine Expedition, um die Gegend rund um das Kaspische Meer zu erobern, und setzte die I Italica auf die Legionsliste – „Italica“, weil ihre Rekruten allesamt Italiker waren. Als sich dann 68 n. Chr. der Bürgerkrieg zusammenbraute, brauchte Nero ein bisschen Extraunterstützung und stellte eine weitere Legion auf, indem er Matrosen von der Flotte in Misenum versetzte (s. S. 53), aus denen die I Adiutrix („die Unterstützende“) wurde.

Unter Anrechnung all der vielen Katastrophen und Auflösungen, Rekrutierungen und Restrukturierungen liest sich die Regimentsliste von 100 n. Chr., auf die Traian für seine großen Feldzugspläne zurückgreifen kann, wie folgt:

- **I Adiutrix.** Ein gutes Motto für diese Legion wäre *ubique* – überall. Die Legion hat in Italien, Dalmatien und Moesien gedient. Ihre Soldaten können sich auf harte Kämpfe unter dem Kaiseradler in den anstehenden Daker- und Partherkriegen gefasst machen.
- **I Minervia.** Der Name verrät uns, dass Kaiser Domitian diese Legion aufgestellt hat, der Minerva als seine Schutzgöttin betrachtete. Es ist eine neue Legion, noch keine 20 Jahre alt, sie hat in derselben Gegend gekämpft wie die I Adiutrix und kann sich wie sie auf weitere Kämpfe einstellen. Einstweilen bewacht sie den Rhein von Bonna (Bonn) aus, wo sie für die nächsten Jahrzehnte feste Wurzeln zu schlagen scheint.
- **II Adiutrix.** Das ist eine Legion, die wie die I Adiutrix ursprünglich aus Ex-Marinesoldaten formiert wurde. Diesmal schuf Vespasian die Legion, damit sie ihm dabei half, Kaiser zu werden. Die Legion wurde Hals über Kopf in den Krieg im Rheinland und dann in Britannien geworfen. Nach Kämpfen in Wales und Schottland wurde sie an die dakische Grenze verlegt und kassierte eine dicke Tracht Prügel von den Kriegern dieses aggressiven Königreichs. Von ihrer jetzigen Garnison in Pannonien aus erledigt sie einen Großteil ihrer Rekrutierung in der Region. Im Auge behalten sollten Sie unter den Offizieren dieser Legion den jungen Publius Aelius Hadrianus (Hadrian), dem Insider eine steile Karriere voraussagen.
- **II Augusta.** Diese ursprünglich spanische Legion ist seit 43 n. Chr. in Britannien. Heutzutage richtet sie sich mit dem britischen Regenwetter in Isca Dumnoniorum (Exeter) ein und wird voraussichtlich noch einige Zeit dort bleiben. Das Legionsemblem ist der Capricorn, der fischschwänzige Steinbock, ein Zeichen dafür, dass sie Augustus reorganisiert hat, der in diesem Sternzeichen geboren wurde.
- **III Augusta.** Der Wechsel vom Steinbock zu Pegasus, dem geflügelten Pferd, entführt Sie quer durchs Imperium ins deutlich sonnigere Klima von Afrika. Viel zu kämpfen gibt es hier nicht, von gelegentlichen Rangeleien mit den Berberreitern aus der Wüste abgesehen, aber die Datteln sind verlockend und die Dating-Möglichkeiten mit den einheimischen Schönheiten auch.

Steinbock und Pegasus, die Symbole der II bzw. III Augusta, schmücken vereint diese Plakette der Legio II Augusta. Viele Legionen hatten ein Tiersymbol, wobei der gallische Stier die Legionen anzeigte, die schon unter Caesar gedient hatten. Das Symbol der Prätorianergarde war ein Skorpion.

- **III Cyrenaica.** Wenn es Sie ins exotische Land der Pyramiden zieht, sind Sie hier gut aufgehoben, aber ich sag's Ihnen gleich – kennst du eine Sphinx, kennst du alle. Es gibt Gerüchte, dass die Legion in den Einsatz gehen könnte, wenn die geplante Annexion von Arabia abrollt; das wäre eine Abwechslung zur üblichen Mischung aus Hitze, Fliegen und Langeweile, in der es nur dann spannend wird, wenn die Juden, Griechen und Ägypter in Alexandria mal wieder einen Anlauf machen, ihre Stadt und einander zu vernichten.
- **III Gallica.** Trotz ihrer gallischen Anfänge finden Sie diese Legion in Syrien. Wer unter dem Zeichen des Stieres kämpft, kann im Osten Kriege mit den Parthern kommen sehen und darf sich im Westen auf *noch* einen Aufstand in Judäa freuen. Eine sichere Wahl für jeden, der's im Militärdienst gern intensiv hat – und mörderisch.
- **IV Flavia Felix.** Ursprünglich hieß sie Macedonica, bis Vespasian die Legion gründlich umorganisierte. Wie ihr Stieremblem bezeugt, hat Caesar sie aufgestellt. (Caesars Legionen kämpften in Gallien, und der Stier hat vielleicht mit einem keltischen Stiergott zu tun.)

Die Legion war schon früh eine treue Stütze Octavians in den schlimmen Jahren, ehe er Augustus wurde. Während des Bürgerkriegs von 69 n. Chr. mühte sie sich redlich, die aufsässigen Germanenstämme in Schach zu halten, zeigte aber später gegen Legionärskameraden, die zum Feind übergelaufen waren, keine berühmte Leistung. Wer sich den Namen „Felix" anschaut, kommt zu der Vermutung, dass das „Glücklichsein" oder „Glück gehabt" im Titel sich auf den Erfolg bezieht, um die Auflösung wegen mangelnden Einsatzes herumgekommen zu sein.

- **IV Scythica.** Ursprünglich eine Legion, die Antonius aus den Völkern im Norden des Schwarzen Meeres bildete (daher der Name). Als sie es nach Actium mit Augustus hielt, übernahm sie Augustus' Symbol, den Capricorn, als ihr Emblem. Wie die Legio XII Fulminata wurden auch ihre Soldaten in den 60er-Jahren n. Chr. von den Juden und auch von den Parthern besiegt, also haben sie keinen Ruf als erstklassige Kampftruppen. Wenn man den vergöttlichten Kaiser Vespasian in die Enge triebe, würde er errötend zugeben, in seiner Jugend bei dieser Legion gedient zu haben. Ihre Mitglieder gelten als hervorragende Straßenbauer.
- **V Macedonica.** Eine Legion, die ein Händchen dafür hat, sich ihre Feinde auszusuchen. Sie hat Barbaren im ganzen Nordosten des Imperiums bekämpft, unterbrochen von einem Abstecher nach Judäa für den Jüdischen Krieg von 69 n. Chr. Sie ist eine sichere Wette für die erste Schlachtreihe im nahen Dakerfeldzug und hat bereits zusammen mit der II Adiutrix dakische Einfälle abgewehrt. Noch eine Legion mit Stieremblem.
- **VI Ferrata (die Eiserne).** Nachdem diese Einheit Vespasian auf den Kaiserthron geholfen hat, ist sie nach Osten gezogen. Im Moment steht sie an den Ufern des Euphrat und wird entweder zur III Cyrenaica in Arabia stoßen oder zurückverlegt werden, um Judäa in Schach zu halten. Oder auch beides. Jedenfalls noch eine Legion, auf die interessante Zeiten warten.
- **VI Victrix (die Siegreiche).** Steht zurzeit in Novaesium (Neuss) am Rhein, wo sie die Flavia Felix (geborene Macedonica) und ande-

re Legionen abgelöst hat, die sich durch Überlaufen zum Feind in den Kriegen von 69–70 n. Chr. zu Tode blamiert haben. Hauptsächlich Garnisonsdienst, dazu muss sie es bei kleineren Überfällen – mal als Täter, mal als Verteidiger – den Germanen zeigen. Hin und wieder bekommt der kommandierende General im Rheinland Appetit auf das Kaisertum, also ist ein Ausflug nach Rom auf die Schnelle eine weitere Möglichkeit.

- **VII Gemina**. Ihr berühmtester Ehemaliger ist der momentane Kaiser Traian, der 89 n. Chr. Legionslegat war. Diese Legion ist eine „Gemina“, weil sie eine Mixtur aus der in Schande geratenen I Germanica und der VII Hispana ist. Das spanische Element hat es nicht weit in die Fremde gezogen. Noch immer ist sie in Hispania Tarra-conensis stationiert, einer der friedlichsten Provinzen des Imperiums, und Rekruten können sich auf gelegentliche Banditenjagd, Lager-dienst und Grundlagenforschung in der Kunst der Siesta einstellen. Diese Legion wird so lange an Ort und Stelle bleiben, dass sie der Stadt Le(gi)ón ihren Namen geben wird.
- **VII Claudia**. Diese Legion ist ihren Kinderkrankheiten vor über 150 Jahren entwachsen, als sie unter Caesar in Gallien kämpfte. Sollte es zum Bürgerkrieg kommen, halten Sie ein Auge auf sie, denn sie hat bisher jedes Mal den Gewinner unterstützt. Ihre Legionäre kämpften in Spanien und bei Pharsalos für Caesar gegen Pompeius und später bei Philippi für Caesars Erben Octavian. Die Legion stand 42 n. Chr. in Dalmatien und schlug dort einen Aufstand nieder, was ihr den Beinamen Claudia Pia Fidelis („pflichtbewusst und treu“) eintrug. Sie setzte auf Vespasian als Kaiser und gab den Ausschlag, damit die Schlacht von Cremona 69 n. Chr. mit seinem Sieg endete. Vermutlich wird sie die Speerspitze des kommenden Dakerkrieges bilden.
- **VIII Augusta**. Diese altgediente Legion zählt zu den Geheimtipps der Armee. Wie die VII Claudia ist sie eine ehemalige Legion Caesars und steht im Moment in Argentoratum (Straßburg). Einigen Leuten geht der Gedanke vielleicht gegen den Strich, dass die Verantwortlichen für ein gesamteuropäisches Imperium kaum etwas tun, außer

die gallische Küche und den guten Wein zu würdigen, aber andere denken sich, dass das für Ruhe und Frieden dieser Zeiten ein sehr vernünftiger Preis ist.

- **IX Hispana.** Das inoffizielle Motto der Legion ist „Kein Wort über Boudicca!". Von der britischen Kriegerkönigin hat diese Legion während Boudiccas Aufstand 60–61 n. Chr. kräftig Dresche bezogen und ein paar Veteranen der feinfühligeren Sorte fallen angeblich beim Anblick blauer Waid-Tätowierungen immer noch in Ohn-macht. Der aktuelle Hauptfeind der Legion ist das Rheuma, Ergebnis der britischen Nässe. Da Frieden auf der Insel herrscht, ist die Gar-nison von Lindum (Lincoln) nach Eboracum (York) verlegt worden. In gut 20 Jahren wird die Legion so geräuschlos aus Britannien abgerufen werden, dass sich viele fragen, was mit ihr passiert ist, und so wird sie als „die verschollene Legion" Legende werden.
- **X Fretensis.** Nach einem Weg rund ums östliche Mittelmeer steht diese Legion jetzt in Hierosolyma, der Stadt, die die Römer nach der Rebellion 66–68 n. Chr. auf den rauchenden Trümmern von Jerusalem erbaut haben. Ein guter Posten für dickfellige Typen, denen es nichts ausmacht, wenn die Einheimischen hinter ihnen ausspucken. Titus, der General von damals, brachte es immerhin zu einer jüdischen Prinzessin als Freundin. Die Besatzungstruppen sollten lieber nicht mit so etwas rechnen, aber sicher ist ihnen auf jeden Fall das volle Mitgefühl des Kaisers. Traians Vater hat hier nämlich während des Aufstands eine Legion befehligt, also weiß Traian, womit es die Soldaten zu tun haben.
- **X Gemina.** Ursprünglich eine von Caesars Legionen (und auch eine, die 55 v. Chr mit ihm die Invasion in Britannien durchführte); für die Bürgerkriege stellte der Triumvir Lepidus sie neu auf, aber sie übertrug ihre Loyalität rasch auf Augustus. Nach einer erholsamen Runde in Spanien hat sie sich in Noviomagus (Nimwegen) im Rheinland wiedergefunden. Eine gute Wahl für alle, die gern mit Holz arbeiten, denn die Legion kämpft momentan mit Säge und Hacke, um Kastelle und Gräben entlang der Grenze zu errichten.
- **XI.** Offiziell ist das eine weitere Claudia Pia Fidelis, tatsächlich eher

ein anonymes Arbeitstier unter den Legionen. Von ihrer Garnison in Vindonissa (Windisch in der Schweiz) zog sie westwärts, um Vespasian mit auf den Thron zu setzen und um mit dem Schlamassel fertigzuwerden, den der Verrat der Macedonica, der XV Primigenia & Co. im Jahr 70 hinterlassen hatte. Die Legio XI, gegenwärtig auf dem Balkan, wird wahrscheinlich den Garnisonsdienst in Pannonien übernehmen, wenn die angreifenden Legionen nach Dakien eingedrungen sind.

- **XII Fulminata (die Donnerkeile)**. Eine Legion, die hinter den Erwartungen, die ihr Blitzsymbol weckt, klar zurückbleibt. Ihre Soldaten verpatzten die Eroberung Armeniens 62 n. Chr. und ergaben sich den Parthern, anschließend steigerten sie sich noch und verloren ihren Adler 66 n. Chr. an jüdische Rebellen. Nachdem sie eine gewisse Zeit im Osten von Kappadokien (in der Türkei) verbracht und gehofft hat, dass ihr nichts Gefährliches über den Weg läuft, ist diese Legion nach Osten an den Euphrat verlegt worden.
- **XIII Gemina**. Noch eine Gemina, diesmal mit einem Löwensymbol. Ihr größter Moment war es, als sie mit Caesar den Rubikon überschritt und die Bürgerkriege von 49 v. Chr. lostrat. Nach ihrer Umbildung durch Augustus ist die Legion seitdem fast ausschließlich im Donauraum stationiert gewesen. Für kurze Zeit zog es sie einmal nach Italien, wo sie Seite an Seite mit der VII Claudia darum kämpfte, Vespasian 69 n. Chr. zum Kaiser zu machen, aber grundsätzlich sind ihre Angehörigen die Dakerjäger par excellence.
- **XIV Gemina**. Spezialität: Aufstände niederschlagen. Diese Legion nahm an der Invasion Britanniens 43 n. Chr. teil. Weil sie 61 n. Chr. Boudicca besiegte, wurde sie Neros Lieblingskind und erhielt zur Belohnung den Titel „Martia Victrix“. Nach Germanien verlegt, half sie beim Wiederherstellen der Ordnung nach dem Aufruhr von 70 n. Chr. Das einzige Mal, dass sie sich die falsche Seite aussuchte, passierte ihr, als sie die Kaiserträume des aufständischen Statthalters Saturninus 89 n. Chr. mittrug. Zurzeit wird sie nach Vindobona (Wien) verlegt, obwohl sich einige Abteilungen auf eine Teilnahme am Dakerfeldzug vorbereiten.

Gnaeus Musius, der mit 17 zu den Legionen ging und mit 32 nach 15 Dienstjahren starb. Er war der Adlerträger der Legio XIV Gemina und zeigt stolz die Symbole auf seinem Schild, sein Feldzeichen und die Torques, die man ihm verliehen hat. Den Grabstein hat ihm sein Bruder, ein Zenturio, errichtet. (CIL XIII 6901, Mainz)

Der Eber der Legio XX. Der Eber war ein gallisches Feldzeichen, aber die Form des Tonstücks, auf das er geprägt ist, verrät, dass dies ein Dachziegel-Antefix aus der Legionsbrennerei ist, das den Wind daran hindern soll, unter die gewölbten Dachziegel der Kasernen zu dringen.

- **XV Apollinaris.** Die Apollinaris, benannt nach Apollo, dem Schutzgott ihres Gründers Augustus, kommt aus Carnuntum (Deutsch-Altenburg / Petronell) im Gebiet um Vindobona, in das die XIV Gemina gerade einrückt. Die XV Apollinaris hat im jüdischen Aufstand harte Kämpfe miterlebt und bereitet sich nun vielleicht darauf vor, die Parther auf die Probe zu stellen – falls nicht doch die Daker zuerst das Vergnügen mit ihr haben.
- **XVI Flavia Firma.** Man kann nur hoffen, dass die „standhafte flavische" Legion, noch ein Opfer des Desasters von 70 n. Chr., sich

besser hält als in ihrem früheren Leben unter der Bezeichnung XVI Gallica, die sang- und klanglos vor dem Feind kapitulierte. Die neuformierte Legion wurde in Syrien stationiert – und hat den begründeten Verdacht, dass Vespasian diese Verbannung als Strafe für ihre hauptsächlich gallischen Soldaten gedacht hat. Sie wird Gelegenheit haben, im anstehenden Dakerfeldzug ihren Ruf zu verbessern.

- **XX Valeria Victrix.** „Die siegreiche, mannhafte Legion" ruht sich inzwischen nach einem erfolgreichen Feldzug gegen die Kaledonier auf ihren Lorbeeren aus. Sie stellt ein Drittel der britischen Legionen dar (Britannien hat im Verhältnis zu seiner Größe eine stärkere Garnison als jede andere Provinz im Reich, Judäa inklusive, und das will was heißen), hat einen guten Ruf und keine Kämpfe in Aussicht. Sie wird wohl noch eine Weile in Britannien bleiben.
- **XXI Rapax.** Die „Räuberischen" unterstützten Vespasian erfolgreich 69 n. Chr. und setzten dann 89 aufs falsche Pferd, als sie bei einem Aufstandsversuch, der ihren Provinzstatthalter Saturninus zum Kaiser von Rom machen sollte, spektakulär erfolglos waren. Seitdem sind sie wie vom Erdboden verschluckt, und Gerüchte erzählen von ihrer Auflösung oder dem Untergang der gesamten Legion in Pannonien.
- **XXII Deiotariana.** Hat die Besonderheit, ursprünglich nichtrömisch zu sein, weil sie aus zwei vom Galaterkönig Deiotaros aufgestellten, nach römischem Muster organisierten Legionen gebildet wurde. Diese Streitmacht war eine so erfolgreiche Kopie der römischen, dass Augustus sie zu den echten schlug. Wie die VII Gemina / Hispana hat sich auch die Deiotariana nicht weit von ihrem Geburtsort entfernt und poliert zurzeit wie die III Cyrenaica ihre Anti-Krawall-Technik in Alexandria auf.
- **XXII Primigenia.** Eine Legion, die sich in den Bürgerkriegen von 69 n. Chr. mit konstanter Bosheit die falsche Seite aussuchte und dann leicht niedergedrückt wieder zum Tagesgeschäft überging, von Mogontiacum (Mainz) aus die Rheingrenze zu bewachen. Das ist eine Legion kampferprobter Germanenjäger, die seit drei Generationen im Geschäft sind. Sie holten sich den Titel Pia Fidelis,

„pflichtbewusst und treu“, weil sie Kaiser Domitian zum Sieg über den Usurpator Saturninus verhalfen. Eine gute Wahl für Leute, die gern nur eine Sache machen (Germanen töten), das aber richtig.

Schlimme Zeiten für Castra Vetera

Viele Legionen möchten ihre unrühmliche Rolle in den Bürgerkriegen und Revolten von 69–70 n. Chr. gern vergessen und keine mehr als die Beteiligten am Debakel von Castra Vetera (Birten bei Xanten). Die Bataver, ein am Rhein lebender Stamm, erhoben sich unter der Führung eines ihrer Fürsten, eines römischen Bürgers namens Julius Civilis. (Die Römer hatten seinen Bruder hingerichtet, also hatte Civilis ein gewisses Recht, verstimmt zu sein.) Den Legionen V Alaudae, XVI Gallica und XV Primigenia misslang die Niederwerfung des Aufstands. Im weiteren Verlauf wurden die IV Macedonica und die XXII Primigenia mit hineingezogen, dazu die I Germanica.

Die V Alaudae und die XV Primigenia wurden im Legionslager Vetera belagert und liefen zu Civilis über. Die I Germanica und die XVI Gallica rückten zur Unterstützung an, aber kapitulierten stattdessen ebenfalls. Es brauchte einen Großteil von dem, was an römischer Armee noch übrig war, um das anschließende Chaos unter Kontrolle zu bringen. Während der Abrechnung, die folgte, wurde die XV Primigenia kurzerhand aufgelöst.

Die V Alaudae, der dasselbe Schicksal drohte, überlebte nur, um später von den Dakern zerlegt zu werden. Die XVI Gallica und die IV Macedonica wurden in XVI Flavia Firma respektive IV Flavia Felix umbenannt und die I Germanica mit der Legio VII zusammengelegt, worauf die VII Gemina aus ihnen wurde.

III Karrierealternativen im Militär

Conare levissimus videri,
hostes enim fortasse telis indigeant.
Versuche so unbedeutend wie möglich auszusehen –
vielleicht ist der Feind knapp an Munition.

Die römische Armee hat mehr zu bieten als nur Legionen – für manchen sind die Legionen vielleicht sogar nicht einmal die richtige Wahl. Im Folgenden finden Sie einige andere Möglichkeiten, die sich ein angehender Rekrut durch den Kopf gehen lassen sollte; beachten Sie aber, dass nicht jede dieser Stellen für alle zugänglich ist. Egal, in welcher Einheit sich ein Soldat wiederfindet, er gehört auf jeden Fall zu einem integrierten Kampfverband, in dem sich die verschiedenen Einheiten mit ihren Stärken gegenseitig ergänzen.

Die Kavallerie

Seit den Tagen der frühen römischen Republik, über die Polybios schreibt, hat sich einiges geändert, nicht zuletzt, weil die Römer seitdem mit der Unterlegenheit ihrer eigenen Kavallerie fertiggeworden sind, indem sie diese Aufgabe an besonders begabte Reitervölker outsourcen. Wegen der verschiedenen Techniken und Anforderungen an die Kavallerie in verschiedenen Gebieten des Imperiums findet man in dieser Waffengattung eine größere Vielfalt als in jedem anderen Teil von Roms Armeen.

Ein Kavallerist im Kettenpanzer. Beachten Sie den Arm, der eine Lanze zum Stoß unter der Schulter hindurch hielt. Beachten Sie auch, dass das Schwert länger und der Nackenschutz des Helms kürzer ist als die Legionsversionen; andererseits hat man großzügig Halterungen für Federschmuck über den Helm verteilt, denn schließlich sind wir bei der Kavallerie. Aus praktischen Erwägungen und nationalen Vorlieben trägt dieser Reiter außerdem lieber Hosen als Tunika.

Nehmen Sie beispielsweise die Kavallerie der östlichen Provinzen, die es mit zwei ganz unterschiedlichen Arten berittener Feinde zu tun hat. Einmal gibt es da die leicht bewaffneten Bogenschützen, die nach hinten über die Kruppe ihrer Pferde schießen können. Das ist der berühmte „parthische Schuss“, der diese Reiter auf der Flucht so tödlich macht wie beim Angriff. Zweitens hat dieselbe Region die furchtbaren *cataphracti* hervorgebracht, eine Kavallerie, deren Pferde fast so schwer gepanzert sind wie ihre Reiter. In jedem Einzelfall muss die römische Kavallerie sich der Herausforderung anpassen, völlig verschiedene Gegner zu bekämpfen. In den Wüsten Numidiens etwa haben die Römer festgestellt, dass Schleudern eine nützliche Waffe gegen ihre beweglichen, wilden Feinde, die Berber, sind.

Römer, die Reiter werden, finden sich wahrscheinlich in der Legionskavallerie wieder; das sind Einheiten, die sehr eng in die Legionen eingebunden sind und ihre meisten Angehörigen von dort beziehen. Nehmen Sie etwa Tiberius Claudius Maximus, einen römischen Bürger aus Philippi in Makedonien, der sich vor rund 15 Jahren zur Armee gemeldet hat. Natürlich wählte er die Legion, in der sein Vater schon als Soldat gedient hatte – in diesem Fall die VII Claudia –, und wurde dank seiner Familienzugehörigkeit ein Legionskavallerist.

Checkliste Pro und Contra Kavallerie

Pro:

1. Soldat im Sattel sein bringt Prestige.
   Früher machte das der römische Adel.
2. Wenn du reiten kannst, wozu laufen?
3. Die Kavallerie verbringt einen Großteil der Schlacht mit Warten.
4. Sie steht Bürgern und Nichtbürgern offen.
5. Wenn es mit dem Feldzug richtig schlecht läuft,
   liefert ein Pferd Fleisch für mehrere Wochen.

Contra:

1. Es gibt jede Menge Ausrüstung zu putzen und zu pflegen.
2. Außerdem muss man ein Pferd striegeln und seinen
   Stall ausmisten.
3. Die parthische Reiterei ist der römischen normalerweise
   überlegen.
4. Die sarmatische Reiterei auch.
5. Und die gallische und die germanische und die numidische ...

Später wurde er zum II. Pannonischen Kavallerieregiment versetzt, bei dem er heute noch auf einer der unteren Offiziersstellen mit einem sehr beachtlichen Jahressold von 700 Denaren dient. Vorübergehend zählte er zum Stab des Legionskommandeurs – Bürger in der Kavallerie sind als Kuriere sehr nützlich –, aber jetzt führt er einen Trupp *exploratores*. Diese Kavalleristen haben die Aufgabe, weit im Vorfeld der Armee zu operieren und Sondereinsätze auszuführen oder Feindbewegungen auszukundschaften. Das ist ein spannendes Leben voller Abenteuer, aber es verlangt noch mehr Flexibilität und Fitness, als ohnehin von einem Durchschnittslegionär erwartet wird.

Ausrüstung und Zubehör

Ein alter Infanteriewitz sagt, dass ein Kavallerist, wenn er ins Zivilleben zurückkehrt, nie arbeitslos werden wird. Er findet immer noch einen Job als Stallknecht. Richtig ist sicher, dass ein Reiter einen vollen Tag hat, sei es im Einsatz oder wenn er sich darauf vorbereitet. Die Kavallerieausrüstung orientiert sich hauptsächlich an der keltischen, weil die Kelten während des letzten Jahrhunderts den Hauptteil der Reiterei gestellt haben. Stellen Sie sich darauf ein, folgende Ausrüstung mit ins Feld zu nehmen und instand zu halten:

In frühester Zeit kämpften [die Römer] ohne Rüstung [...] was sie im Nahkampf in größte Gefahr brachte [...] Ihre Speere waren in doppelter Hinsicht unpraktisch. Einmal waren sie so leicht und biegsam, dass sich unmöglich richtig damit zielen ließ, der Speer bei jeder Bewegung des Pferdes herumwackelte und meistens sogar brach, noch ehe man etwas damit traf [...] Die Schilde waren aus Ochsenhaut, [...] zu weich, um etwas beim Angriff zu taugen. Und bei Regen schälte die Haut sich ab, faulte und machte den Schild nicht nur unpraktisch, sondern vollkommen nutzlos.

Polybios, *Historien* 6,25

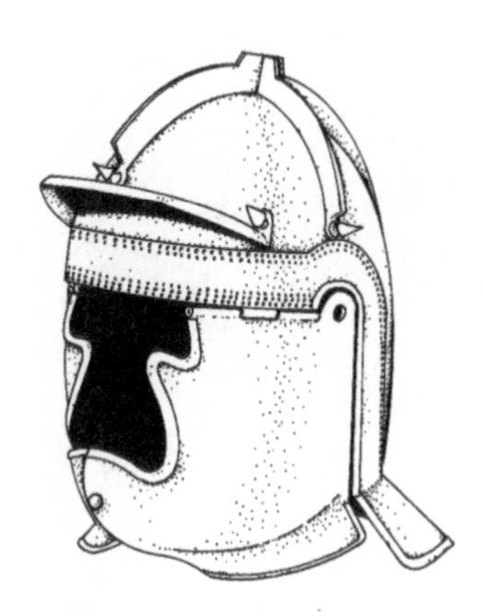

Kavalleriehelm. Römische Reiter besitzen Helme für die Schlacht, Helme für die Parade und Helme für besondere Sorten Feind. Der Besitzer dieses Helms erwartet offensichtlich, dass er eine Menge Schläge auf den Kopf bekommt (darum die Querverstärkung), und verfügt über umfangreichen Schutz gegen Hiebwaffen. Etwas zu hören ist für einen Kavalleristen im Gefecht wichtig, also sorgen Ohrlöcher für Schalldurchlässigkeit und etwas Lüftung.

Rüstung: Üblicherweise handelt es sich um Kettenpanzer, entweder im keltischen Stil oder in der für normale Auxiliare typischen Ausführung, aber einige Einheiten bevorzugen Schuppenpanzer.

Helm: Er unterscheidet sich deutlich von der Infanterieversion und braucht eine lange Eingewöhnung. Er ist auf Rundumschutz im Handgemenge zu Pferd ausgelegt, wo Angriffe von hinten häufiger sind, als Legionäre sie zu erwarten haben. Kavalleriehelmen fehlt außerdem der charakteristisch weit vorspringende Schutz, den ein Legionärshelm als Nackenteil hat, denn ein Sturz aus Sattelhöhe auf diesen Vorsprung erhöht die Wahrscheinlichkeit, sich den Hals zu brechen, drastisch.

Schild: Viel kommt darauf an, wo die Einheit steht und welche Aufgaben sie hat, aber der Standardschild ist ein breites Oval, das dem Schild der Auxiliare ähnelt. Man braucht viel Übung, bis man Schild, Schwert, Speer und Wurfspeer benutzen kann, während man auf einem sich schnell bewegenden Pferd sitzt. Übung darin, ohne schwere Verletzungen vom Pferd zu fallen, bekommt man ganz spontan im Lauf des üblichen Trainings.

Schwert: Man nennt es die *spatha*. Es ist länger als der *gladius* des Legionärs (s. S. 73) und wird häufig unter die Satteldecke gesteckt, wenn man kein Gefecht erwartet.

Wurfspeer: Ein römischer Reiter ist die reinste Abschussrampe. Man erwartet, dass ein Kavallerist während der Attacke deutlich mehr

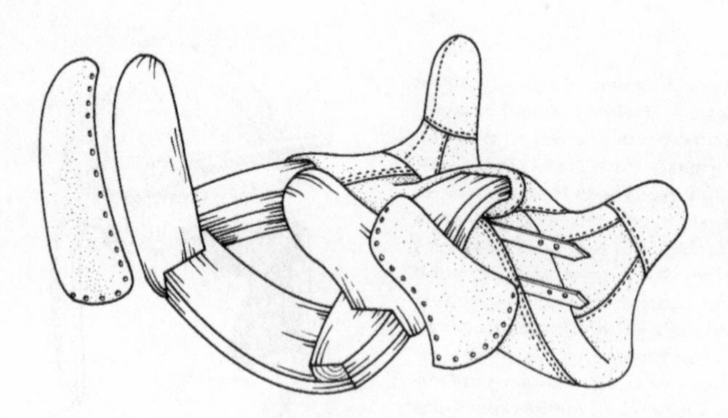

Vierhornsattel; Darstellung des Sattelbaums und der Polsterung. Ein römischer Reiter verlässt sich auf seinen schraubstockartigen Schenkeldruck, um im Sattel zu bleiben. Auch die seitlichen Hörner helfen, nur muss ein Reiter, der es eilig hat, aufs Pferd zu kommen, gut aufpassen, keine empfindlichen Weichteile sozusagen aufs Horn zu nehmen.

als ein Dutzend Wurfspeere oder schwere Wurfpfeile auf seine Gegner schleudert, bevor der Nahkampf losgeht.

Sattel: Der charakteristische römische Sattel mit vier Sattelhörnern ist für einen Kavalleristen ein besonders wichtiges Ausrüstungsstück. Wie das Reiterschwert stammt er von den Kelten und ist das Einzige, was den Reiter sicher auf dem Pferd hält – noch ist niemand auf die Idee herumbaumelnder Fußstützen aus Metall (später Steigbügel genannt) gekommen. Halten Sie das Fehlen einer Fußstütze aber bloß nicht für eine Ausrede, ein Kavallerist könne sich im Gefecht nicht auf Infanterie stürzen – der Sattel ist tief und fest genug, dass man sich den Speer für einen kräftigen Stoß unter den Arm klemmen kann und der Reiter beim Aufprall trotzdem nicht über das Pferd weg nach hinten fliegt.

Geschirr und Zaumzeug: Davon gibt es jede Menge, weil die Römer es mögen, wenn ihre Kavallerie etwas hermacht. Also hat man diverse Medaillons und andere Metallteile zu polieren und zusätzlich Schnallen und Lederzeug in Schuss zu halten. Dann wäre da noch die persönliche Ausrüstung des Reiters, nicht zu reden von der Pflege und „Instandhaltung“ des Pferdes selbst.

Auf dem Schlachtfeld kämpft das Gros der Kavallerie in *alae*, wörtlich: „Flügeln“, weil sie normalerweise die Infanterie flankieren. Weil Pferde schneller müde werden als Menschen, darf ein Kavallerist damit rechnen, einen großen Teil jeder Schlacht in Reserve stehend zuzubringen – wenige Feldherren werfen gern mehr als ihre halbe Kavallerie auf einmal ins Gefecht. Eine weitere Hauptaufgabe der Reiterei in der Schlacht beginnt, wenn eine feindliche Einheit geschlagen ist und die Kavallerie losgelassen wird, damit sie die aufgelösten, fliehenden Gegner niederreitet. Weil Kavalleriepferde vernünftiger als Menschen sind, galoppieren sie für gewöhnlich nicht in geschlossene feindliche Einheiten zu Fuß oder zu Pferd hinein. Kommt es also zum Gefecht von Kavallerie gegen Kavallerie, dann wird man sich einig und beide Seiten öffnen während der Attacke die Reihen, sodass der Zusammenstoß mit dem Gegner in voller Geschwindigkeit geschieht. Ansonsten reiten beide in geschlossener Formation im Schritt aufeinander zu, bevor sie zu einem ausgewachsenen Wettkampf im Einander-Niederhauen übergehen.

Wenn er hinter einer reglosen Gesichtsmaske in schimmernder Rüstung dahintrabt, gibt der Kavallerist einen imposanten Anblick ab. Röhrenförmige Drachenstandarten flattern über der Schwadron (eine Kavallerieschwadron heißt *turma*), und klimpernde Metallplatten schmücken die Pferdegeschirre. In solchen Momenten denkt der römische Reiter vielleicht, dass sich die vielen Stunden mühsamen Wienerns, Ölens und Striegelns, Exerzierens und Drills gelohnt haben, die es brauchte, damit dieser Gesamteindruck zustandekommt.

Kavallerie, die einer [Infanterie-]Kohorte zugeteilt ist, hat es schwer, für sich allein einen guten Eindruck zu machen, und sogar noch mehr, abwertende Kommentare zu vermeiden, wenngleich vor ihr die Auxiliarkavallerie ins Manöver gegangen ist: Sie geht kürzere Wege und hat weniger Speerwerfer.

(Hadrian zum Kavalleriekontingent der VI. Kommagener-Kohorte in einer Inschrift aus Lambaesis.) *Inscriptiones Latinae selectae* 2487

Die Auxilia

Wer kein Pferd reiten kann, kein römischer Bürger ist und keine guten Beziehungen zu wichtigen Leuten hat, der endet wahrscheinlich bei den Auxilia – richtiger ausgedrückt, bei den *anderen* Auxilia, denn auch die meisten Kavalleristen sind Auxiliare. Doch allgemein bezeichnet man mit diesem Begriff die leichter bewaffnete Infanterie aus Nichtbürgern, die für rund 80 Prozent des Soldes die riskante Arbeit machen. Die Dienstzeit beträgt 25 Jahre, aber weil man bei der Entlassung zum Bürger wird, ist es theoretisch möglich, mit 16 zu den Auxilia zu gehen und sich dann mit 41 zur Legion zu verpflichten. Viele stellen dann freilich fest, dass über zwei Jahrzehnte in der Armee sie von ihrer Sehnsucht nach einer Karriere als Soldat kuriert haben.

Checkliste Pro und Contra Auxilia

Pro:

1. Die Einheiten sind eher ortsfest.
2. Die Einheiten sind weniger strikten Regeln unterworfen als die Legionen.
3. Für jede Spezialkenntnis, die Sie nur mitbringen können, gibt es Verwendung.
4. Man kann zusammen mit vielen Landsleuten dienen.
5. Zur Entlassung gibt es das römische Bürgerrecht.

Contra:

1. Der Sold ist niedriger als bei Legionären.
2. Die Abfindung beim Ruhestand ist nicht so gut wie für Legionäre.
3. Truppenverlegungen erfolgen oft auf Dauer.
4. Auxilia sind öfter in kleinere Kampfhandlungen verwickelt.
5. Der Verlust von Auxiliareinheiten gilt im Vergleich zu Legionen als nicht so schlimm.

Auf jeden Fall merken sollten Sie sich, dass es schon fast so lange Auxiliarverbände gibt wie die römische Armee, nur hat man sie manchmal „Bundesgenossen“ genannt und zu anderen Zeiten waren sie sogar Söldner. (Im 2. Jahrhundert v. Chr. beschwerte sich der Senat bei Kreta, dass es sowohl Rom als auch dessen Feinden die Bogenschützen lieferte – gelegentlich sogar für dasselbe Schlachtfeld.) Außerdem haben ebenso viele, wenn nicht noch mehr Soldaten in den Auxilia gedient als in den Legionen, und das ist immer noch so. Wie die meisten militärischen Fragen wurden die Auxilia durch Augustus in feste Verhältnisse gebracht, obwohl das System nicht annähernd so eng reguliert ist wie bei den Legionen.

Ein Auxiliarsoldat kann sich auf den Dienst in einer Kohorte aus rund 480 Mann einstellen, von denen viele seine Stammesgenossen sein werden. Manche Auxiliare dienen weit weg von ihrem Rekrutierungsort (selbst Caesar nahm in seine Truppen für Gallien spanische Schleuderer und Kavalleristen, germanische Reiter und kretische Bogenschützen auf), aber wenn die Auxilia erst einmal irgendwo angekommen sind, bleiben sie üblicherweise länger da. Verluste werden an Ort und Stelle ausgeglichen und mit der Zeit ändert sich die Nationalität der Kohorte. So steht die *cohors* I Augusta, ursprünglich aus der spanischen Provinz Lusitania, inzwischen in Ägypten und hat ein Kontingent aus 120 Kamelreitern (*dromedarii*) dazubekommen, die ihr Handwerk garantiert nicht in den Pyrenäen gelernt haben.

Wie die Anwesenheit von Kamelkavallerie schon andeutet, verläuft das Leben in den Auxilia mit einer gewissen Lockerheit, die in den Legionen nicht zu finden wäre. Zunächst einmal fehlt den Auxilia, weil sie in Kohorten operieren, die Verwaltungsstruktur der Legionen. Das macht sie gut geeignet für den Dienst in kleinen, ad hoc für Spezialaufgaben zusammengestellten Verbänden. Zum Beispiel können Auxilia ebenso viel Zeit damit verbringen, einem Steuereintreiber in einer kleinen Provinz hinterherzutrotten, wie sie im Konflikt mit Barbarenhorden stehen. Auch in Fragen der Bewaffnung und Rüstung herrscht größere Flexibilität. Warum soll man sich auch Syrer holen (die berühmt für ihre Fähigkeiten am Bogen sind) und ihnen dann

Speer und Kurzschwert in die Hand drücken? Das umso mehr, als Bogenschützen zu Fuß das Patentrezept gegen die leichten berittenen Schützen sind, die die Legionen auf ihren Feldzügen im Osten belästigen.

Diese Flexibilität ist vielleicht der Grund, wieso manche römischen Bürger sich tatsächlich lieber für den Dienst bei den Auxilia statt in den Legionen entscheiden. Das trifft besonders auf Bürger zu, die in einer Provinz aufgewachsen sind und eine Kavallerielaufbahn mit ihren Landsleuten im Auge haben.

Andere jedoch stoßen als *pedites* (wie man die Infanterie nennt) zu den Auxilia, obwohl ihr Bürgerrecht ihnen den Anspruch verleiht, Legionäre zu werden. Womöglich spielt bei ihrer Entscheidung auch der Umstand eine Rolle, dass die Auxilia viel wahrscheinlicher in Heimatnähe bleiben.

> Gruß an meinen Bruder Herakleides. Ich habe dir schon wegen des jungen Pausanias geschrieben, der in den Legionen dienen will. Also, jetzt hat er beschlossen, es soll die Kavallerie sein [...] Ich bin nach Alexandria gegangen und habe verschiedene Tricks ausprobiert, und schließlich habe ich ihn in einer Kavallerieeinheit in Koptos untergebracht [...]
> *Papyrus Oxyrhynchus* 1666

Die Legionen wechseln den Ort, wie es die Gesamtstrategie des Imperiums will. In aller Regel winken die Auxilia ihnen freundlich hinterher und werden anschließend mit der neuen Legion warm, falls eine auftaucht. Die Folge ist, dass viele auxiliare Nichtbürger lang genug am Standort bleiben, um Frauen zu nehmen und Kinder großzuziehen, die bei ihrer Entlassung zusammen mit ihnen eingebürgert werden. Falls diese Kinder auf Papas Spuren in die Armee finden – wie das viele tun –, geben sie *castris* (aus dem Lager) als Herkunftsort an und haben die Wahl zwischen der alten Auxiliareinheit ihres Vaters und den Legionen.

Eine Anzahl von Gründen spricht dafür, Auxiliarkohorten am gleichen Ort zu belassen:

Welche Kohorte wähle ich?

Das leicht eigenwillige System der Legionsbezeichnungen ist ein Muster an militärischer Ordnung, verglichen mit dem der Auxilia. Auxiliarkohorten heißen nach ihrem aktuellen Standort oder ihrer Herkunft, ihrer Stammeszugehörigkeit, ihrer Lieblingswaffe oder auch dem Kaiser, unter dem sie aufgestellt wurden, ihrem Kommandeur oder einer beliebigen Kombination der genannten Elemente – und vorn hängt man üblicherweise eine scheinbar willkürliche Zahl dran. Diese Fülle theoretischer Optionen verhindert es jedoch nicht, dass verschiedene Kohorten denselben Namen haben. Zurzeit rennen mindestens zwei Kohorten namens I Alpinorum im unteren Pannonien herum, und wenn in ihrem Fall kurz und klar leider nicht das Gleiche ist, dann kann man der klangvoll betitelten II Augusta Nervia Pacensis Brittonum, die an ihrer Seite kämpft, *diesen* Vorwurf bestimmt nicht machen.

- Örtliche Soldaten dienen lieber am Ort.
- Ortskenntnis ist lebenswichtig für den Kleinkrieg mit seinen Hinterhalten, Streifzügen und Scharmützeln.
- Die Auxiliare vor Ort haben Jahrhunderte mit der Entwicklung von Waffen und Taktiken entwickelt, die dem Terrain ideal angepasst sind (zum Beispiel gibt es wenig Verwendung für numidische Reiter in den Wäldern Germaniens, während die Bataver-Kavallerie aus Niedergermanien – exzellente Schwimmer, die sich auf Flussüberquerungen bei Hochwasser spezialisiert haben – sich in der afrikanischen Wüste, die das Zuhause der Numider ist, leicht überflüssig vorkäme).

Die Ausnahme von der Regel, die Auxiliare in ihrer Region zu lassen, sind Spezialtruppen, die man überall gern sieht. Sarmatische Kavalleristen und syrische Schützen beispielsweise können wirklich erwarten, zur Armee zu gehen und die Welt kennenzulernen. Ihre Landsleute sind von den Sümpfen Britanniens bis zu den Basaren von Alexandria über das ganze Reich verteilt.

Tiberius Julius Abdes Pantera aus Sidon liegt hier begraben. Er lebte 62 Jahre und war 40 Jahre Soldat in der Bogenschützen-Kohorte.

(Grab bei Bingium, Germania superior)

H. Dessau, *Inscriptiones Latinae selectae* 2571

Was die Legionen betrifft, ist die Rolle der Auxilia genau das, was ihr Name auf Latein besagt – Hilfe und Unterstützung. Während die Legionen sich ins Gefecht begeben, erbringen die Auxilia

- Aufklärung des vorausliegenden Gebiets gegen Hinterhalte,
- Nachrichten für den General über mutmaßliche Zusammensetzung und Taktik des Feindes,
- Informationen für die Armee zu nahe gelegenen Nahrungsvorräten und Lagerplätzen.

Kommt es zu einem größeren Gefecht, stehen die Auxilia nicht einfach dabei und lassen die Legionen machen. Während die Armeen aufeinanderprallen, erfüllen die Auxilia einige oder alle der folgenden Aufträge:

- Sie führen das Geplänkel zur Eröffnung der Schlacht.
- Sie halten feindliche Kavallerie von der Flanke der Legionen fern.
- Sie verteidigen hügeligen oder zerklüfteten Boden, auf dem die Legionäre nur mühsam in Formation bleiben können.
- Sie attackieren je nach Spezialwaffen den Feind mit Speeren, Pfeilen oder Schleudergeschossen.
- Sie kämpfen, wo es richtig heiß hergeht. (Die Auxiliare sind zwar um einiges leichter bewaffnet als die Legionäre, aber wahrscheinlich besser bewaffnet, trainiert und ausgestattet als die feindliche Hauptmacht, also schickt man sie eventuell auch frontal gegen diese.)

Vespasian verließ Ptolemais und ließ [...] die leichtbewaffneten Auxiliare mit den Bogenschützen zuerst marschieren, damit sie Überraschungsangriffe des Feindes verhinderten und jedes Waldstück durchsuchten, das einen Hinterhalt verbergen konnte.

Josephus, *Der Jüdische Krieg* 3.115 (3,6,2)

Und wenn die Legion dann wieder im Lager ist, sind es natürlich die Auxilia, die die örtlichen Garnisonen stellen, flächendeckend Patrouillen unternehmen und sich an das tagtägliche Geschäft machen, die *Pax Romana* aufrechtzuerhalten.

Die Marine

Die Legionäre reden oft ziemlich geringschätzig über die Flotte und erzählen gern von ihrer Rolle im Ersten Punischen Krieg, als sie ohne eine Spur feindlicher Hilfe fast eine Viertelmillion Männer direkt auf den Meeresgrund beförderte. In jüngerer Vergangenheit, während Kaiser Tiberius regierte, endete ein römischer Feldzug gegen die Marser, als ein Sturm die Flotte und einen Großteil der Armee auslöschte. Noch Wochen später trieben Wrackteile und ertrunkene Legionäre an der germanischen Küste an.

Die Flotte läuft ein. Schiffe der römischen Marine landen in einem Flusshafen an der Donau. Obwohl Schiffe und Matrosen nicht die richtigen Proportionen zueinander aufweisen, zeigt der Bildhauer eindrucksvoll, unter welch beengten Umständen die Ruderer arbeiten, und auch den schwellenden Bizeps, den der Job so mit sich bringt.

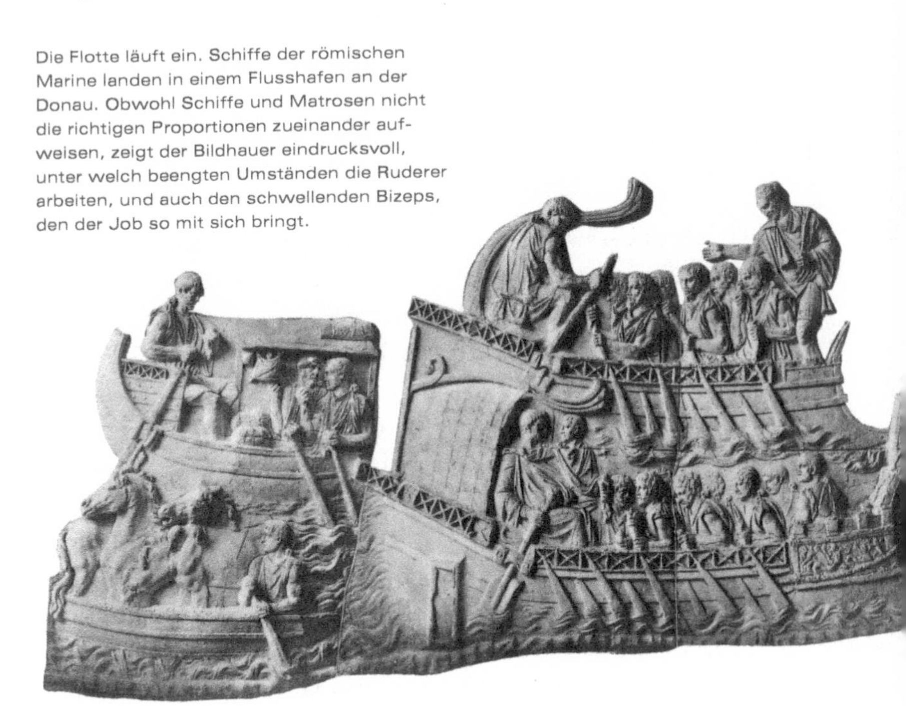

Checkliste Pro und Contra Marine

Pro:

1. Die Flotte bietet einen Ausweg aus der Sklaverei.
2. Sie haben viele Chancen, an exotische Plätze zu reisen.
3. Man darf Quatsch mit Schiffen machen und mit Katapulten und anderen tollen Waffen hantieren.
4. Zur Entlassung gibt es das römische Bürgerrecht.
5. Wenn die Flotte in Misenum stationiert ist, darf man das riesige Sonnensegel über dem Amphitheatrum Flavium (dem Kolosseum) bedienen.

Contra:

1. Die anderen Streitkräfte lachen über die Marine.
2. Manchmal müssen Matrosen als improvisierte Soldaten an Land arbeiten.
3. Eine Trireme zu rudern ist harte Arbeit.
4. Die Mindestdienstzeit ist noch länger als im Auxiliardienst.
5. Schiffe neigen dazu, unerwartet und mit katastrophalen Folgen zu sinken.

> Dichte schwarze Wolken brauten sich bald zusammen und Hagel ging nieder; die Wogen rollten im Wind heran, der abwechselnd aus allen Richtungen blies, versperrten die Sicht und erschwerten das Steuern. Die Soldaten waren an Gefahr auf hoher See nicht gewöhnt und brachten die Matrosen mit ihrer Panik durcheinander. Ihre ungeschickten Hilfsversuche vereitelten das Werk der Sachkundigen.
> Tacitus, *Annalen* 2,23,2

Obwohl sie das Stiefkind des römischen Militärs ist und gelegentlich Probleme hat, sich – im wahrsten Sinne des Wortes – über Wasser zu halten, ist die Marine eine Überlegung wert. Es lässt sich kaum leugnen, dass sie eine schräge Art von Charme hat, diese Flotte, deren

Weltrekord für Seeschlachten in der Schweiz nie gebrochen wurde (nämlich genau eine, zur Zeit des Augustus, als sie sich auf dem Bodensee die Flotten der Raeter und Vindeliker zur Brust nahm).

Die letzte große Schlacht der Marine auf dem Meer war zugleich jene Schlacht, die das Jahrhundert der Bürgerkriege beendete und Augustus zum Kaiser von Rom machte. Das war die Schlacht von Actium, 31 v. Chr. vor der griechischen Küste, als die römische und die ägyptische Flotte ihren entscheidenden Zusammenstoß hatten. Heute gibt es keine großen feindlichen Flotten und wer Angst davor hat, als unfreiwilliges Opfer an Neptun ein nasses Grab zu finden, wird erleichtert zur Kenntnis nehmen, dass die moderne Marine all ihre richtigen Feldzüge auf Flüssen durchzieht, wo man auf beiden Seiten beruhigend schnell ins Trockene kommt.

Die wichtigsten Verbände der Marine sind: die **Classis Misenensis und die Classis Ravennas**. (Eine römische Flotte heißt *classis*, Triremen und Quinqueremen also sind in mehrfacher Hinsicht klassisch römische Kriegsschiffe.) Die Flotte von Misenum ist nach dem gleichnamigen Kap benannt und steht in den Gewässern des Golfs von Neapel, obwohl das gesamte westliche Mittelmeer in ihren Zuständigkeitsbereich fällt. Der Auftrag dieser Flotte wie auch derjenigen auf der anderen Seite der italischen Halbinsel in Ravenna lautet, die Getreideflotte aus Alexandria zu eskortieren und die Piraterie zu bekämpfen. Letzteres betrifft besonders die Classis Ravennas, weil die Dalmater und Liburnier an der Ostküste der Adria seit langer Zeit die Piraterie als Hobby und Lebenseinstellung zugleich betrachten und nicht die Absicht haben, sich dabei von der *Pax Romana* stören zu lassen.

Die Classis Pannonica und die Classis Moesica. Wer sich einen besser organisierten Gegner wünscht, findet ihn, wenn er entweder zur erstgenannten Flotte geht (ihr Stützpunkt ist Aquincum, späteren Generationen bekannt als Budapest) oder zur letzteren, die weiter donauabwärts operiert und gelegentliche Vorstöße ins Schwarze Meer unternimmt. Beide Flotten werden im kommenden Dakerkrieg wohl gut beschäftigt sein.

Die Classis Germanica. Auf der anderen Seite Europas hat es die Rheinflotte mit dem Heimathafen (Köln-Alteburg) nahe Colonia Claudia Ara Agrippinensium mit den nervigen Batavern und ihrem Talent fürs Wasser zu tun, soweit sie nicht auf der Seite Roms stehen. Die Dienstpflichten dieser Flotte führen sie auch aufs offene Meer, wo viele Matrosen feststellen, dass die Manöver im Mittelmeer ohne Gezeiten eine Trireme nicht so ganz auf die Extreme von Wind und Wellen in der Nordsee vorbereiten.

Die Classis Alexandrina. Vielleicht der romantischste Standort im ganzen römischen Militär. Diese Flotte hat nicht nur die Aufgabe, Kreuzfahrten entlang der palmengesäumten Ufer des Nils zu unternehmen, sondern macht auch Ausflüge ins östliche Mittelmeer. Sie hat als bisher letzte römische Flotte ernsthafte Gefechte erlebt, als sie im Krieg von 68–70 n. Chr. gegen eine von maritim veranlagten jüdischen Rebellen improvisierte Flotte kämpfte. Ein weiterer Nebenjob der alexandrinischen Flotte ist der Geleitschutz für Handelsschiffe durch den Persischen Golf in Richtung Indien, und man munkelt, dass sich einige Schiffe demnächst auf dem Euphrat mit Kurs Babylon wiederfinden könnten.

Die einzige Einstellungsbedingung für die Flotte ist, dass Sie körperlich fit sind und für die nächsten rund 26 Jahre nichts vorhaben sollten. Technisches Geschick ist ebenfalls nützlich, denn abgesehen von den Feinheiten der Ruder und der Takelage bestechen römische

Er hatte nicht einmal aufstehen und den Blick heben können, um die Flotte zu inspizieren, als die Schiffe in Gefechtsformation lagen. Nein, er lag flach auf dem Rücken und starrte benommen zum Himmel und kam erst dann auf die Füße, um seinen Männern zu zeigen, dass er noch am Leben war, als Marcus Agrippa für ihn den Feind in die Flucht geschlagen hatte.

(Der zukünftige Augustus in einer Seeschlacht, von seinem Rivalen Antonius geschildert)

SUETON, *Leben des Augustus* 16,2

Kriegsschiffe durch ein faszinierendes Sortiment von Brandsätzen und Katapulten (darunter eins, das Enterhaken verfeuert). Gischtendes Salzwasser und die Eigenbewegung des Schiffes bedeuten, dass diese Systeme allesamt ständige Wartung benötigen.

Matrosen sind zwar freie Männer, aber manche werden extra für ihre neue Karriere freigekommen sein. Wenn Marinesoldaten ihre Dienstzeit beenden, wird ihnen ebenso das Bürgerrecht angeboten wie den Auxiliaren.

Die Prätorianer

Die Prätorianer sind der Traumjob eines jeden Legionärs. Sie sind in Rom selbst stationiert und verlassen die Hauptstadt nur dann, wenn ihr kaiserlicher Herr ins Feld zieht. Der Sold ist besser und die Dienstlänge kürzer. Und auch das ist nur die halbe Wahrheit. Weil die Prätorianer die größte Streitmacht in der Hauptstadt bilden, ist ihre treue Unterstützung wesentlich für das Wohlbefinden eines Kaisers. Wenn er sicherstellt, dass die Prätorianer dafür angemessen belohnt werden, dass sie auf seine allerhöchste Person gut aufpassen, ist er ein kluger Kaiser. Gaius Caligula fand sein Ende, als einige Kommandeure der Prätorianergarde zu einem negativen Urteil über seine Qualitäten als Kaiser kamen, und nach Caligulas Ermordung war es die Prätorianergarde, die den Senat zur Anerkennung von Claudius als Kaiser zwang. In jüngster Zeit hat Kaiser Domitian (96 n. Chr. ermordet) noch einmal Sold und Privilegien der Prätorianer angehoben – nur macht deren Überheblichkeit sie in der Hauptstadt nicht gerade beliebt.

Die Prätorianer heißen nach dem *praetorium*, dem Zelt des Generals in einem Heerlager. Nach und nach wurden die Soldaten, deren Aufgabe die Bewachung des Zeltes war, eben die „Prätorianer“, zur Elitetruppe des Feldherrn. Ihr Sonderstatus wurde von Augustus (wem sonst?) festgeschrieben, und unter Augustus' Nachfolger Tiberius nahm die Prätorianergarde mehr oder weniger ihre jetzige Form an. Tiberius' Sternzeichen war der Skorpion, was sich im Skorpion-Emblem der Prätorianer spiegelt. Sie sind in Kohorten zu je 800 Mann ein-

Diese Offiziere und Mannschaften der Prätorianergarde sehen angemessen selbstzufrieden aus, nachdem sie sich die besten Quartiere, Gehälter und Vertragsbedingungen in der ganzen römischen Armee gesichert haben.

Checkliste Pro und Contra Prätorianer

Pro:

1. Die Garnison der Prätorianer ist Rom.
2. Ihre Dienstzeit ist kürzer als beim übrigen Militär.
3. Sold und Urlaubsmöglichkeiten sind ausgezeichnet.
4. Wenn ein neuer Kaiser kommt, gibt es eine große Sonderzahlung.
5. Man hat gute Aussichten, bei Dienstende etwas Höheres zu werden.

Contra:

1. Ab und zu müssen sich die Prätorianer tatsächlich wie Soldaten benehmen, wenn der Kaiser in den Krieg zieht.
2. Das war's eigentlich.

geteilt und in einer komfortablen Kaserne auf Roms Viminal-Hügel stationiert. Zusätzlich zur eigentlichen Garde gibt es eine Kavallerietruppe, die *equites singulares Augusti*, die aus handverlesenen germanischen Auxiliaren besteht.

Das Privileg, Prätorianer zu sein, wäre berechtigt, wenn sie sich aus hervorragenden Legionssoldaten rekrutierten, aber tatsächlich rekrutiert man die meisten Prätorianer als junge Männer, und Römer aus Italien sind gegenüber den Provinzen sehr stark überrepräsentiert. Nach Abschluss ihrer 16 Jahre bei den Prätorianern gehen einige dieser Soldaten weiter zu den Legionen, wo sie Zenturionenstellen übernehmen, während andere sich mit einer beträchtlichen Summe als Abschiedsgeschenk des Kaisers zur Ruhe setzen. Versetzungen gibt es auch in der Gegenrichtung, besonders als Kaiser Vitellius die ganze Prätorianergarde 69 n. Chr. feuerte, weil sie seinen Rivalen Otho unterstützt hatte, und sie en bloc durch seine eigenen Soldaten aus den Rheinlegionen ersetzte. Die besten und besonders gut angeschriebenen Prätorianer können auf Stellen als Zenturionen in der Garde sel-

Begeben sich die Prätorianerkohorten, die gerade ihre zwei Denare pro Mann bekommen haben und schon nach 16 Jahren ihre Heimat wiedersehen, in größere Gefahren? Ich will die Garde in der Hauptstadt nicht schlechtreden; trotzdem, ich hier zwischen lauter Barbarenstämmen kann den Feind schon vom Zelt aus sehen.

(Meuternder Soldat, 14 n. Chr.)

TACITUS, *Annalen* 1,17,6

ber hoffen, und die Spitzenposition für einen Berufssoldaten ist die des Prätorianerpräfekten, des Kommandeurs der kaiserlichen Garde.

Es ist richtig, dass die momentanen Beziehungen zwischen Kaiser Traian und den Prätorianern nicht ganz so gut sind, wie sie sein könnten. Die Prätorianer haben vehement gegen den Mann protestiert, den Nerva (Traians Vorgänger) als Erben ausgesucht hatte. Es folgten heftige Diskussionen zwischen Palast und Prätorianern, in deren Verlauf mehrere kaiserliche Funktionäre ein vorzeitiges Ende fanden und Drohungen gegen den Kaiser selbst fielen. Das führte dazu, dass Nerva sich öffentlich von seinem geplanten Nachfolger trennte und ankündigte, der Favorit der Prätorianer, Traian, werde ihm als Kaiser folgen. Diejenigen, die ihn auf den Thron gebracht hatten, konnten sicher ein bisschen Dankbarkeit vom neuen Kaiser erwarten, aber tatsächlich bestand eine der ersten Amtshandlungen Traians darin, jene Prätorianer,

Die gallischen und germanischen Auxiliare bildeten die Vorhut, dann kamen die Bogenschützen zu Fuß, nach ihnen vier Legionen und der Caesar selbst mit zwei Prätorianerkohorten und den *equites singulares* [Augusti]. Dann kamen die anderen Legionen, berittene Schützen und die übrigen verbündeten Kontingente.

TACITUS, *Annalen* 2,16,3

die seinen Vorgänger eingeschüchtert hatten, verhaften und hinrichten zu lassen. Da die Rheinlegionen mit ganzer Seele hinter Traian stehen und es für die Prätorianer gegen diese viel zahlreicheren und kampferprobteren Truppen schlecht aussähe, muss die Garde des Kaisers seitdem eben das beste aus der aktuellen Lage machen.

De re militari

- Legionskavallerie wird oft im Kurierdienst mit Befehlen und Depeschen losgeschickt.
- Ein Kurier im Dienst ist durch eine an seinen Speer gebundene Feder zu erkennen.
- Weil ein Feldherr gern melden möchte, dass seine Siege unter minimalen Verlusten an römischen Soldaten erzielt wurden, ist er stets versucht, den Auxilia die harten Kämpfte zuzuschieben.
- Eine ältere Auxiliareinheit kann von einer jüngeren gleichen Namens dadurch unterschieden sein, dass sie ihrem Titel das Wort *veteres* anhängt.
- Prätorianer, die Dienst in Rom haben, tragen Toga.

IV Die Ausrüstung

Huius de gladio memento,
amice, viam ad homines per viscera ferre.
Wenn's ums Schwert geht, Herrschaften, führt der Weg zum Herzen eines Menschen durch seine Eingeweide.

So ausgezeichnet die Ausstattung des römischen Militärs auch sein mag – der Mann, der einmal gesagt hat, man könne nie zu viel des Guten haben, musste das Gute eindeutig niemals tragen, und zwar 30 km am Tag, wochenlang. Daran sollte ein neuer Rekrut denken, während er seine Ausrüstung zusammenstellt. Genauer gesagt, zusammen*kauft*: Legionäre müssen ihre Sachen selber erwerben, entweder aus privater Hand oder vom Staat. Grundsätzlich braucht ein Legionär unbedingt bestimmte Artikel eines festgelegten Typs, und wenn er sie nicht selber beschafft, werden sie ihm gestellt und ihr Wert wird von seinem Sold abgezogen.

Behalten Sie das im Hinterkopf und merken Sie sich, dass es ein Ausrüstungsstück gibt, für das Sie gern deutlich mehr als den Normaltarif zahlen sollten, damit Sie genau das richtige kriegen, und dabei geht es nicht um Schwert, Schild oder Helm. Manche Legionen kommen jahrzehntelang nicht ins Gefecht, und Zeit, an den Offensiv- und Defensivwaffen alles in Ordnung zu bringen, ist bis dahin noch reichlich. Aber ob im Frieden oder im Krieg, Legionäre marschieren jede Menge und tragen dabei schwere Lasten. Besorgen Sie sich das bestmögliche Schuhwerk. Weil anständige Schuhe so wichtig sind, beginnt diese Übersicht über die Ausrüstung des Legionärs mit dem Gegenstand, auf dem Roms Militärüberlegenheit beruht – der *caliga*, der römischen Soldatensandale.

Caliga, caligula oder caligona?

Der verstorbene, leider unvergessene Kaiser Caligula kam zu seinem Namen, weil der Feldherr Germanicus, sein Vater, ihn immer als Minilegionär anzog. Er wurde zum Maskottchen der Truppe, die ihm den Spitznamen „Stiefelchen“ gab (oder genauer gesagt „Militärsandälchen“). *Caligona* ist eine große Sandale und das Standardschuhwerk ist eine *caliga*.

Aufbau: Dieses lebenswichtige Stück Militärausrüstung besteht aus drei Teilen: einer Sohle (damit sie ideal sitzt, achten Sie darauf, dass die Sohle etwa einen halben Daumennagel kleiner als der Fuß ist, und zwar rundherum), einem Fußbett und einem Oberleder. Zum Oberleder gehören Schnürriemen – es sind *caligae fascentes* – als Mittel zum passgenauen Justieren. (Diese Riemen und die schweren Metallnägel unter der Sohle nutzen sich am schnellsten ab und brauchen die meiste Pflege.) Prüfen Sie, ob die Riemen in engem Abstand doppelt genäht sind, und zwar der langen Haltbarkeit zuliebe mit gewachstem Schusterzwirn.

Anpassen: Falls die Riemenkanten nicht gebrochen, also gerundet sind, leihen Sie sich eine kleine Feile und erledigen Sie das selbst.

Checkliste Sandalen

1. Guter Sitz – bei Neuware Dehnung des Leders einkalkulieren.
2. Weiches, gut verarbeitetes Leder.
3. Riemen ohne Risse – prüfen Sie, ob die hautseitigen Kanten abgeschrägt sind.
4. Neue, gut sitzende Schuhnägel.

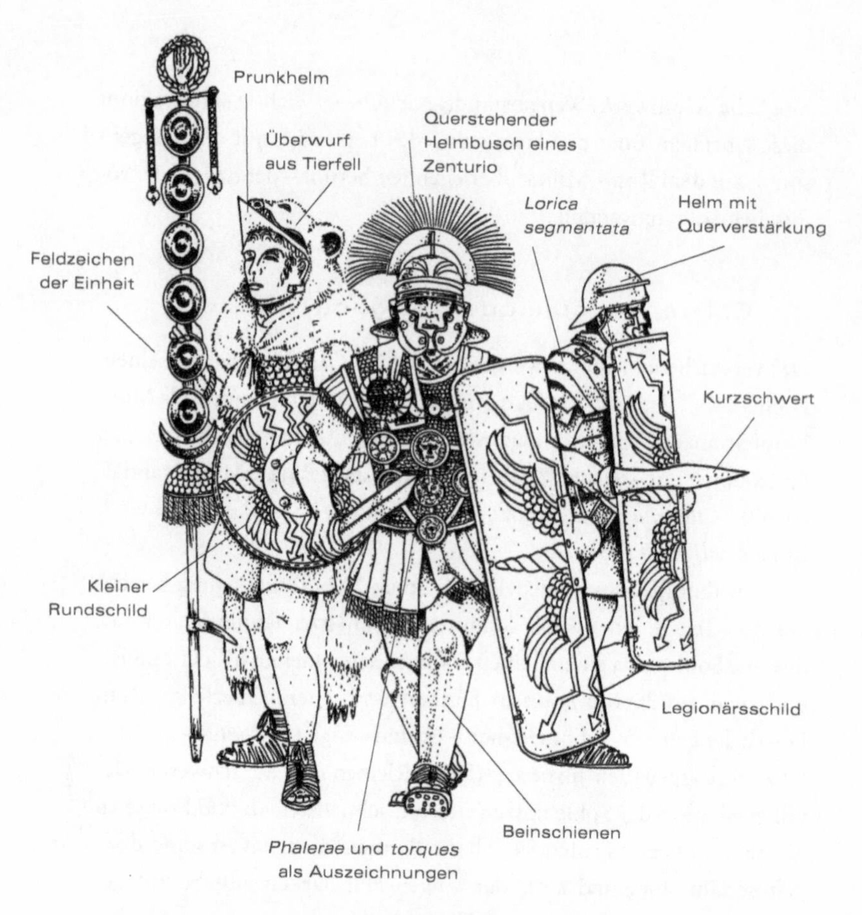

Teile eines römischen Trupps in Kampfbereitschaft.
Von links nach rechts sehen wir einen Feldzeichenträger,
einen Zenturio und einen normalen Legionär.

Scharfe Kanten machen sich nach den ersten paar tausend Schritten eindeutig bemerkbar. Denken Sie auch daran, dass Leder sich unter Belastung dehnt, und rechnen Sie bei neuem Schuhwerk daher mit einem gewissen Zuwachs. Wer in kaltem Klima dient, zieht gegen Frostbeulen zusätzlich gern noch dicke Socken an; beachten Sie aber, dass Socken beim Marschieren eine Strafe sind. Die Flüssigkeit aus geplatzten Blasen kann beim Eintrocknen Wolle und rohes Fleisch aneinanderschweißen, wodurch die Socken beim Laufen schmerzhaft und beim Ausziehen zur Folter werden.

Schuhnägel: Gute Nägel unter den *caligae* haben den unerwarteten Vorteil, den Tritten des Trägers bei Gelegenheiten, zu denen (überwiegend) nichttödliche Gewaltanwendung gefragt ist – zum Beispiel Massenproteste, Unstimmigkeiten in Kneipen –, mehr „Wumm" zu verleihen. In eher konventionellen Situationen verleihen Schuhnägel dem Träger im Gelände hervorragende Antischlupfeigenschaften auf Oberflächen, die eventuell durch Schlamm oder Blut rutschig sind. Nur feste, glatte Oberflächen stellen ein gewisses Problem dar. Nehmen Sie das Schicksal des Zenturios Julianus, als er voller Kampfgeist dem Feind bei der Belagerung Jerusalems nachsetzte:

> Er stürzte sich mitten zwischen die Juden, als diese sich zerstreuten [...], und tötete alle, die er zu fassen bekam [...] aber er selbst war vom Schicksal verfolgt, dem kein Sterblicher entrinnen kann. Wie alle Soldaten hatte er Schuhe voll dicker scharfer Nägel, und als er über das Pflaster des Tempels rannte, rutschte er aus und fiel unter lautem Geschepper seiner Rüstung auf den Rücken. Das ließ die Flüchtenden die Köpfe drehen [...] und sie stachen von allen Seiten mit ihren Speeren und Schwertern auf ihn ein.
> Josephus, *Der Jüdische Krieg* 6,83–88 (6,1,8)

Die Tunika

Die Legionärstunika macht eine Menge mit und viele Soldaten verschleißen ungefähr alle zwei Monate eine. Das ist ein größerer Kostenpunkt, denn selbst eine billige Tunika kostet um die sechs Denare. (Tatsächlich kann ein Soldat davon ausgehen, dass seine Kleidung rund ein Drittel vom Sold auffrisst.) Eine Standard-Arbeitstunika kann ruhig aus ungebleichtem Tuch sein, allerdings haben die meisten Soldaten zusätzlich eine Ausgehtunika in reinstem Weiß. Da diese Tuniken mit einer Mischung aus Urin und Schwefeldämpfen gebleicht werden, ist es eine gute Idee, sie vor dem Tragen gut zu lüften, damit sie nicht einen noch bleibenderen Eindruck hinterlassen, als man vorhatte.

Anpassen: Tuniken sind eindeutig Artikel in Einheitsgröße und normalerweise fast so breit wie lang. Blutige Anfänger sollten daran denken, dass die Militärtunika bis übers Knie gerafft wird; Zivilisten lassen ihre meistens etwas weiter hinunterhängen. Wählen Sie eine Tunika mit weitem Halsausschnitt, denn bei schwerer Arbeit ist es schlau, einen Arm durch die Halsöffnung zu stecken und den rechten Ärmel der Tunika unter den Arm rutschen zu lassen – so schlägt das Kleidungsstück keine lästigen Wellen um den Oberkörper. Für Alltagszwecke lässt sich diese weite Öffnung schließen, indem man sie in einen Knoten zusammendreht. Dieser Knoten, den ein oder zwei verzierte Nadeln (*fibulae*) fixieren, ergibt einen praktischen Aufhänger für den Mantel.

Die Tunika ist wie ihre Zivilversion außerdem eine bequeme Tragetasche. Ein Gürtel aus einem Stück Seil hält sie eng um die Hüften zusammen, und alles, was der Träger mitnehmen will, wirft er in den Halsausschnitt und holt es sich später wieder.

Gewebe: Das Material für eine Tunika wechselt je nach Ort. Dicke Wolle ist nützlich für Germanien und Britannien, während Nutzer in wärmeren Breiten Leinen bevorzugen. Das Tunikawaschen ist eine Massenveranstaltung, und dasselbe Material zu haben wie der Rest der Einheit ist nicht verkehrt. Wolle wäscht sich am besten, wenn man sie in einem großen Behälter einweicht und behutsam mit Waschhölzern ausdrückt. Sie leidet, wenn man sie wie Leinen behandelt, das beim Reinigen oft energisch gegen einen Felsen geknallt wird.

Checkliste Tunika

1. Gute Verarbeitung, Stoff aus dichtem Gewebe.
2. Aus der richtigen Faser gemacht (welche das ist, hängt von Einheit und Standort ab).
3. Verlangen Sie dazu einen Gürtel und, wenn möglich, eine Sicherheitsnadel.
4. Wenn Sie nicht die gleiche Farbe wie der Rest der Einheit bekommen können, nehmen Sie weiß.

Die Weber im Dorf sollen gemeinsam die verlangten Artikel für die Soldaten in Kappadokien liefern [...] [darunter] Tunika, weiß, mit Gürtel, 3 ½ Ellen (1,55 m) lang, 3 Ellen 4 Finger (1,39 m) breit und 3 Minen schwer (ca. 1500 g) [...] alles aus reiner, fleckenloser Wolle mit sauber verarbeiteten Säumen.

(Militärische Kleideranforderung, 138 n. Chr.)

A. S. Hunt / C. C. Edgar, *Select Papyri* I 395

Farbe: Die Farbe jeder Tunika passt sich schnell den übrigen in der Einheit an, denn die Farbstoffe sind nicht waschecht und mischen sich fröhlich zwischen allen Kleidern im Waschkessel. Diejenigen Einheiten, die rote Farbe für ihre Tuniken nehmen, machen das so, weil dieser Farbstoff – Krapp – billig und leicht erhältlich ist. Der offizielle Grund für Machos lautet, dass Rot die Blutflecken versteckt, aber erstens gehen Legionäre normalerweise entspannt mit dem Anblick von Blut um (wenn es nicht ihr eigenes ist, und dann bemerken sie es meistens doch, ganz egal, welche Farbe die Tunika hat), und zweitens bleicht Krapprot in der Sonne sehr schnell aus, also kommt die Legion nach einem harten Feldzug in einen reizenden Pinkton gekleidet nach Hause. Weiß lässt sich am leichtesten pflegen und hebt sich auch gut vom Schmutz ab, was im Einsatz wichtig ist, wenn die Sauberkeit des Stoffes Ihr Leben retten kann, sobald Fasern mit in eine Wunde hineingedrückt werden.

Die Rüstung

Nachdem wir die Essentials, Schuhe und Tuniken, abgehakt haben, kommen wir nun zu weniger wichtigen Dingen wie der Rüstung. Wie jeder Legionär weiß, ist der Hauptzweck der Rüstung, dass man sie poliert, denn sonst wechselt sie (beinahe über Nacht) die Farbe zu einem wenig martialischen Orange. Eine Legionsrüstung kann auch ein Ketten- oder Schuppenpanzer sein, aber der üblichste Typ ist die ‚Hummervariante', *lorica segmentata*, die aus am Körper anliegenden Eisen-

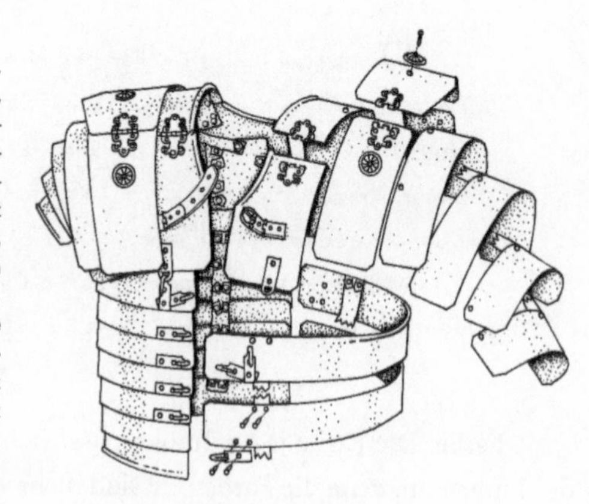

Lorica segmentata. Man erkennt die Brustplatten, Halsausschnittplatten, Rückenplatten, oberen Schulterschützer, unteren Schulterschützer, Schnallen mit und ohne Scharniere, Halbmondscharnierhälften und unteren Scharnierhälften. Das Grundmuster kennt einige Varianten, aber alle Formen dieser Rüstung sind leicht und flexibel. Nur leider nicht einfach und pflegeleicht.

schienen besteht, welche auf ein Traggerüst aus Leder montiert sind. *Lorica segmentata* ist stärker und leichter (und kommt in der Herstellung billiger) als der Kettenpanzer, den die Auxiliare meistens tragen.

Wartung: Besitzer von Kettenpanzern können ihre Rüstung reinigen, indem sie sie mit ein bisschen Sand in ein Fass stecken, und während sie dann die Fässer hin- und herrollen, scheuern sich die Kettenringe gegenseitig sauber. *Lorica segmentata* dagegen braucht schweißtreibende Handarbeit, Schiene für Schiene für Schiene. (Es gibt 34 verschiedene Segmente und dazu noch diverse Gelenke, ganz zu schweigen von den kniffligen Stellen, wo es sich überlappt und wo der Rost hinkommt, ganz egal, wie gut Sie das Ding ölen.)

Anpassen: Wenn Sie diese Rüstung anlegen, achten Sie zuallererst darauf, einen Schal zu tragen. Ohne ihn bohrt sich die schwere Brustschiene in die Oberkante des Brustbeins, wenn der Träger marschiert, und kann mit der Zeit die Haut wegscheuern oder sogar Geschwüre verursachen. Sobald der Schal in Position ist, kann man die Rüstung anziehen wie eine Weste aus Metall; danach wird sie auf der Vorderseite mit Lederschlaufen zugeschnürt. Ein gut sitzender Panzer stört nicht und ist flexibel – so flexibel, dass man es ihm leicht nachsieht, wie viel Fummelei das Zusammensetzen bedeutet und dass die Beschläge und Scharniere die Angewohnheit haben, im falschen Moment zu brechen. Ein geplatztes Scharnier ist übrigens eine gute Gele-

Checkliste Rüstung

1. Guter Stahl ist unendlich viel besser als billiges Eisen.
2. Haken, Ösen und Scharniere sollten mit Qualitätsnieten befestigt sein.
3. Auf eingefressene Roststellen untersuchen – die herauszubekommen ist die Hölle.
4. Rüstungen mit ausgebeulten Dellen sind schwächere Rüstungen.
5. Guter Sitz ist lebenswichtig – lassen Sie sie anpassen und alles entfernen, was nach innen vorsteht.

genheit, den Waffenschmied zu bequatschen, dass er die Rüstung während der Reparatur nachjustiert und sie noch besser sitzt.

Der Helm

Früher waren die Helme aus Bronze, jetzt sind sie aus Eisen, und viele Soldaten mögen die aus gallischen Manufakturen immer noch am liebsten, weil sie denken, die Verarbeitung sei besser als bei italischen Modellen. Die Entwicklung beim Helm bleibt nicht stehen, und welchen der Rekrut bekommt, hängt vom verfügbaren Modell ab.

Aufbau: Alle Helme haben dieselben Grundkomponenten. Ein auskragender Rand hindert den Gegner daran, den Nacken zu treffen, und die Stirnverstärkung soll die Träume von Barbarenkriegern platzen lassen, die ihrem Feind mit einem einzigen Streich von oben nach unten den Schädel spalten möchten. (Weil die Daker diese Technik sehr mögen und entsprechend bewaffnet sind, ist es vielleicht ratsam, sich einen Helm mit einer eisernen Zusatzverstärkung auszusuchen.)

Der Helm hat Wangenklappen, die Schuss- und Wurfwaffen ablenken können, aber keinen Schwerthieb mit voller Wucht, und auf dem Scheitel sollte ein Knopf oder eine andere Vorrichtung sitzen, an der man Federn befestigen kann. Früher waren Federn in der Schlacht groß in Mode, aber der neueste Trend ist es, die römische Armee ih-

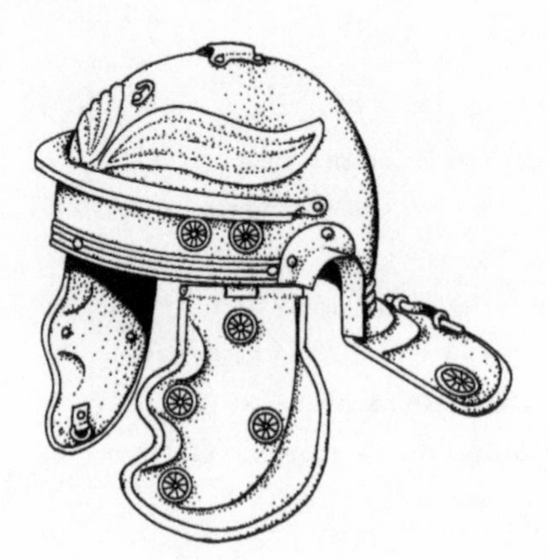

Gallischer Helm, aktuelles Design. Dieses Spitzenprodukt überzeugt durch Querverstärkung über der Stirn, Ziernieten und Schutzränder über den Ohren. Beachten Sie die obere Federhalterung und den Ring auf dem breiten Nackenschutz, mit dem der Helm am Panzer aufgehängt werden kann, wenn Sie marschieren.

ren Feinden als schnörkelloses Mordinstrument vorzuführen (das ist sie ja auch), also sind Federn nur für bestimmte Paraden vorgesehen.

Größe: Beim Helm kommt es eindeutig auf die richtige Größe an. Ein Winzhelm, der oben auf dem Kopf thront, ist fast so lächerlich wie ein übergroßer, der vorn über die Augen fällt, und beide werden den Feind wohl nicht einschüchtern. Es versteht sich von selbst, dass nicht allein die Ohren den Helm aus den Augen halten sollten, aber ihn auszustopfen, bis er richtig sitzt, ist eine schlechte Idee.

Anpassen: Ein Innenfutter im Helm sollte fest, aber nicht zu dick sein. Zu viel weiche Polsterung lässt sich leicht zusammenpressen, al-

Checkliste Helm

1. Auch hier ist guter Sitz lebenswichtig.
2. Der Helm muss ohne Auspolstern sitzen.
3. Nehmen Sie ein Modell auf dem Stand der Technik.
4. Was innen am Helm nach außen vorsteht, gibt am Schädel später Dellen nach innen.
5. Gallische Helme sind die besten.
6. Achten Sie auf das Gewicht-Schutzwirkungs-Verhältnis.

so schützt sie den Schädel nicht, denn bei einem festen Schlag bekommt der Legionär sehr fest eins mit der Innenseite seines eigenen Helms auf den Kopf. Suchen Sie sich einen Helm aus, der gut sitzt und außerdem mit den neu eingeführten Schutzgraten über den Ohren ausgestattet ist, sonst kann der Helmrand gegen das Ohr scheuern und für jede Menge Ablenkung sorgen. Tatsächlich sind Sie gut beraten, sowohl die *lorica segmentata* als auch den Helm mit so wenigen nach innen vorstehenden Stellen wie möglich zu wählen, sonst lernt man sie nach ein paar Minuten in Bewegung eingehend kennen.

Helme sind schwer. Wenn Sie eine friedliche Provinz erwischt haben, wählen Sie einen mit minimaler Zusatzverstärkung. Auch so wird der durchschnittliche Legionärshals ein paar Zentimeter dicker, wenn er dieses Gewicht an die zehn Jahre gestemmt hat.

Der Schild (scutum)

Dieses spezielle Utensil verbringt den Großteil seines Lebens in der geölten Ziegenhaut, die zu seiner Aufbewahrung bestimmt ist. Herausgezogen wird der säuberlich mit den Legionsinsignien bemalte Schild nur für Instandhaltung, Polieren, Paraden und das Gefecht. Weil er gewölbt ist, taugt der Legionärsschild so gut wie gar nicht als Behelfstisch oder Trage – das sind zwei Beispiele, wie andere Völker und die Auxilia verwenden, was ansonsten ein nutzloses Stück Gepäck ist –, bis zu dem Moment, in dem man tatsächlich angegriffen wird. (Und dann fällt dem Legionär plötzlich auf, dass sein Schild eigentlich weder dick genug noch schwer genug ist.)

Aufbau: Was ein Legionär während eines Angriffs zwischen die feindlichen Speerspitzen und seinen Körper hält, sind drei Lagen Holz, die nach einem ganz bestimmten Muster zusammengefügt sind. Eiche oder Birke ist für diese Schichten die Holzart der Wahl. Die Schildmacher bevorzugen Birke, weil sie elastisch und leicht in Form zu bringen ist. Die Legionäre mögen Eiche aus genau dem Grund, aus dem die Schildmacher sie nicht mögen – sie ist dichter in der Faser und schwer zu zerteilen. In beiden Fällen wird das Holz zu Sperrholz ver-

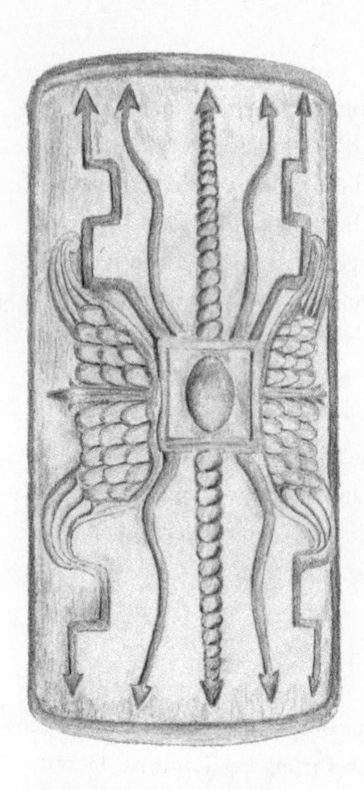

Schild mit Legionssymbolen. Was ein Schild im Nahkampf alles einstecken kann, beweist seinen Verteidigungswert, aber schon so mancher Barbar hat zu spät herausgefunden, dass ein richtig gehandhabter römischer Schild auch eine nützliche Offensivwaffe ist.

arbeitet und jede Schicht so verleimt, dass die Fasern des Holzes im rechten Winkel zur nächsten Schicht laufen.

Hölzerne Verstärkungsstreifen werden auf der Rückseite des Schilds aufgebracht, dann schneidet man zwei kleine Halbkreise durch das Holz in der Schildmitte, wobei ein waagerechter Handgriff dazwischen stehenbleibt (einige Schildmacher setzen hier lieber eine Metall-

Checkliste Schild

1. Schutzhülle und Schild zueinander passend besorgen.
2. Auf dauerhafte – und wasserfeste – Bemalung achten.
3. Holzsorte sorgfältig prüfen.
4. Meiden Sie gebrauchte Schilde, mit denen schon gekämpft worden ist.
5. Achten Sie auf eine feste Metallverstärkung der Kanten.

> Scipio bemerkte, dass der Schild eines Soldaten besonders schmuck verziert war, und sagte, er sei nicht überrascht, dass der Mann etwas so sorgfältig geschmückt habe, auf das er mehr vertraue als auf sein Schwert.
>
> Frontinus, *Strategeme* 4,1,5

stange ein). Auf der Feindseite des Schildes bedeckt eine Metallplatte mit rundem, vorgewölbtem Buckel das Loch. Man hält den Griff wie den eines Koffers in der Hand, sodass sich der Schild mit schnellem Schwung in eine Abwehrposition hochreißen lässt oder sein Träger mit dieser Hand zuschlagen kann – sein Schild dient ihm dabei als der ultimative Totschläger.

Farbgebung und Identifikation: Schilde können mit Gewebe oder mit dünnem Leder überzogen sein. Leder lässt sich leichter reinigen, aber wenn das Dekor aus Kaseinfarbe besteht (auf der Basis von Milch), färbt Gewebe nicht so leicht aus. In beiden Fällen muss der Schild regelmäßig gewachst werden, damit die Farben brillant und das Holz in Topzustand bleiben. Hämmern Sie unbedingt mit einem Nagel, Stanzeisen oder spitzen Meißel ein Kennzeichen in Ihre Sachen, dann vermeiden Sie die kleinen Meinungsverschiedenheiten, wem was gehört, die im Lager ab und zu vorkommen. Der Messingrand des Schildes oder das Innere des Buckels sind praktische Stellen für solche Zeichen, etwa den Anfang Ihres Namens.

Größe: Nicht jeder Schild hat dieselbe Größe und Form. Tatsächlich sind sogar noch ein paar alte Schilde von anno Augustus mit leicht gebogenen Rändern im Umlauf. Ein Rekrut sollte sich einen Schild aussuchen, der ihn etwa von der Schulter bis zum Knie deckt (rund 90–110 cm) und nicht ganz 90 cm breit ist. Jeder größere Schild stört beim Hantieren mit dem Schwert – und Angriff ist die beste Verteidigung, davon ist die römische Armee überzeugt.

Das Schwert (gladius)

So schön es ist, geschützt zu sein, alle Rüstungen der Welt können das Unvermeidliche nur hinauszögern, wenn ihr Träger im Kampf nicht auch eine aktive Rolle einnimmt. Die Lieblingstechnik der Legion, um das Geschehen Richtung Feind zu verschieben, ist der körperbetonte und persönliche Schwerteinsatz. Ganz grundsätzlich gesprochen ist ein Schwert ein Werkzeug. Im Fall eines Legionärsschwertes ist es ein Werkzeug für das kraftvolle Eindringen in den menschlichen Körper, am liebsten vom Nabel zum Herzen auf dem Weg durch die zwischenliegenden Organe.

Balance: Anfängern kommt der *gladius* unerwartet schwer vor, und deswegen muss jeder, der vorhat, das Schwert längere Zeit durch die Gegend zu schwingen, auf die Balance achten. Aus zwei Gründen ist die Balance wichtig. Erstens verhilft ein gut ausbalanciertes Schwert zu einem guten „Spitzengefühl" – gemeint ist damit das intuitive Wissen, wo genau sich die Schwertspitze befindet. Zweitens ermüdet ein ausbalanciertes Schwert die Hand beim Gebrauch nicht so schnell; das ist sehr wichtig in den Fällen, wo der Kampf erst aufhört, wenn der Feind tot ist – was dauern kann.

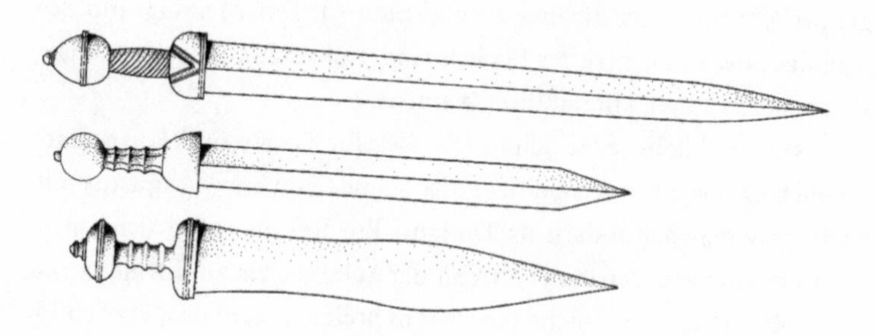

Drei römische Schwerter. Das richtige Schwert für Sie zu finden könnte die wichtigste Entscheidung Ihres Lebens sein. Das Schwert in der Mitte ist das modernste, die längere Version darüber wird bei der Infanterie nicht mehr verwendet. Auxiliare und besonders Kavalleristen bevorzugen jedoch diese Ausführung.

Checkliste Schwert

1. Gut ausbalanciert.
2. Kohlenstoffreicher Stahl ist der beste.
3. Rutschfeste Handgriffe sind Lebensretter.
4. Schwert und Scheide zueinander passend besorgen.

Aufbau: Im Grunde ist ein römisches Schwert eine scharfe Metallplatte, 45–55 cm lang und etwa 5 cm breit. Das Schwert ist zweischneidig und ähnelt im Querschnitt einer flachen Raute. Im Idealfall erkundigen Sie sich beim Waffenschmied nach dem Kohlenstoffgehalt – die meisten Schwerter haben einen Kern aus kohlenstoffarmem Stahl, aber Sie sollten darauf bestehen, dass zumindest die Schneiden, lieber noch das ganze Äußere aus besserem, kohlenstoffhaltigem Stahl besteht. Vor einem Gefecht schleifen viele Legionäre ihre Klinge wie besessen rasiermesserscharf, aber das ist hauptsächlich eine Form von Stressabbau. Die Hauptarbeit leistet bei einem Legionärsschwert normalerweise die Spitze – es ist das Stichschwert schlechthin. Ungewöhnlich für diese Sorte ist, dass es keine Blutrinne hat, also keine Rillen in der Klinge, die Luft in die Wunde lassen. Ohne solche Rinnen schließt sich das Fleisch um eine Klinge und hält es fest, also muss man das Schwert gleich nach dem Zustechen ganz brutal herumdrehen, damit man es sofort herausziehen und anderswo wiederverwenden kann.

Handgriff: Ein rutschiges Heft (der Griff) ist aus den oben genannten Gründen sehr gefährlich, und das besonders, weil der Schwertkämpfer mit einiger Wahrscheinlichkeit schweißnasse Handflächen haben wird. Suchen Sie also nach einem ausbalancierten Schwert mit etwas rauem Heft. (Rohleder ist besser als Holz, Bein ist besser als beides.)

Vergewissern Sie sich, dass der Erl (der Teil der Klinge, der bis ins Heft hineinreicht) sicher mit dem Schwertknauf verbunden ist. Der Knauf am Schwertende ist rund und größer als bei den meisten ande-

> Sie [die Makedonen] waren an Kämpfe mit Griechen und Illyrern gewohnt und hatten durch Speere, Pfeile und gelegentlich auch Lanzen verursachte Wunden gesehen. Jetzt aber sahen sie Körper, die der [römische] *gladius Hispaniensis* verstümmelt hatte, Arme, abgehackt mitsamt der Schulter, Köpfe glatt durch den ganzen Hals vom Rumpf abgetrennt, bloßliegende Eingeweide und andere abstoßende Wunden – in Panik begriffen sie alle zusammen, mit was für Menschen und Waffen sie es zu tun hatten.
>
> Livius, *Römische Geschichte* 31,34,4–5

ren Schwertern, teils um das Gewicht besser auszubalancieren und teils deshalb, weil er guten Halt zum Ziehen gibt, wenn das Schwert im Fleisch eines Gegners steckt.

Scheide und Beschläge: Nur wenn an einem Schwert alles wirklich Wichtige stimmt, lohnt sich ein Blick auf die anderen Punkte, etwa die Verzierungen auf der Scheide. Normalerweise ist die Scheide mit Bronzeplatten beschlagen, die sowohl als Verzierung wie auch als Schutz dienen, und häufig ist der Lederbezug der Scheide bemalt und geprägt. Sie sollte extra für das Schwert gemacht sein, das in ihr steckt, damit sie weder so locker sitzt, dass das Schwert klappert (peinlich, wenn man sich anschleicht), noch so fest, dass es klemmt (noch peinlicher, wenn man das Schwert dringend braucht).

Beides zusammen hängt man sich an einem eigenen Gurt (dem Schwertgurt) über die Schulter, sodass man es hoch oben auf der rechten Seite trägt. Gehen Sie sicher, dass die Scheide leicht nach vorn gekippt ist, sonst ist das Schwert schwierig zu ziehen und einzustecken. Viele Legionäre tragen gern ihre Waffen mit auf der Brust gekreuzten Gurten; dann hängt am Gurt für die andere Seite ein *pugio*, der Allzweckdolch, der für den täglichen Bedarf viel öfter gebraucht wird als das Schwert.

Der Speer (pilum)

Wie jeder Legionär weiß, ist das *pilum* kein normaler Speer. Den normalen Speer benutzen Leute aus vielen Völkern, einschließlich der römischen Auxilia, aber nicht die Legionäre. Auf einem weiten Marsch benutzt man einen normalen Speer auf verschiedene Weisen. Erst einmal ist er ein praktischer Wanderstab. Zweitens dient er, mit der Spitze in den Boden gesteckt, sofort als Stange, und drei Speere, mit einem

Legionäre in Felduniform mit Vorkehrungen für den germanischen Winter. Beachten Sie die zehenfreien Strümpfe, die kurze Hose unter der Tunika, den zusätzlichen Schal und die Tatsache, dass die Helme aufgesetzt statt mitgeführt werden, um den Kopf vor der Witterung zu schützen.

Checkliste Speer (pilum)

1. Ist es, Kämpfe ausgenommen, nutzloser, bleischwerer Ballast?
2. Wenn ja, ist es ein *pilum*.
3. Das Einzige, wonach Sie Ausschau halten müssen, ist die Chance, keins zu schleppen.

Lederriemen zusammengehalten, ergeben ein improvisiertes Dreibein (an dem man kleines Wild wie etwa Kaninchen aufhängen kann). Im Fall einer Verletzung schieben Sie zwei Speere der Länge nach durch eine Tunika, schon haben Sie eine Bahre. Im Gefecht ist ein Speer eine Mittelstrecken-Wurfwaffe, lässt sich aber auch im Nahkampf verwenden und verleiht seinem Träger dann beachtlich viel Reichweite. In nicht so todernsten Situationen ist der Speer ein ganz brauchbarer Kampfstab, was wiederum nach Ansicht vieler Experten die beste Waffe ist, die ein auf sich allein gestellter Kämpfer besitzen kann. Und doch ist er bei all seinen vielen nützlichen Verwendungsmöglichkeiten sogar noch leichter als ein Schwert.

Fast alle diese Vorzüge, so wird Ihnen jeder Legionär bitter sagen, sind beim Legionärsspeer – dem *pilum* – gestrichen worden. Die Waffe fängt verheißungsvoll an, mit massiven vier Fuß Eschenholz (rund 120 cm), die sich leicht verjüngen. Aber den Schwerpunkt des Speeres bildet ein dreieckiger Holzblock, an den wiederum ein gut 75 cm langer Schaft aus dünnem Weicheisen genietet ist, der in einer winzigen dreieckigen Spitze ausläuft. Das macht das *pilum* ekelhaft schwer, und nur um die Waffe noch schwerer zu machen, steckt man manchmal gleich noch einen kugelförmigen Bleiklumpen unmittelbar vor den Metallschaft.

Weil dieser dünne Schaft Eisen und kein Stahl ist, verbiegt er sich leicht. Um dieser Empfindlichkeit weiter nachzuhelfen, ist eine der Nieten, die Schaft und Holz verbinden, eventuell absichtlich schlecht angebracht. Deswegen verwandelt eine harte Behandlung, wie sie den normalen Speer zum robusten Reisebegleiter macht, das *pilum* vielmehr in ein traurig und nutzlos herunterhängendes Stück Metall.

Vorteile: Der Standardspeer ist ein Allzweckwerkzeug, das *pilum* dagegen ein Spezialist. Es ist dafür ausgelegt, genau einmal pro Kampf gebraucht zu werden (hinterher kann man ein *pilum* wieder richten, nur bricht nach ein paarmal Verbiegen und Geradebiegen das Metall). Dahinter steckt die Idee, dass ein *pilum*, sobald es auf den Feind geschleudert ist, nutzlos wird und man buchstäblich nicht spitz darauf ist, es zurückgeworfen zu bekommen. Wenn ein *pilum* einen Schild trifft, drückt seine Wucht den Schaft zumindest teilweise durch. Ziemlich sicher bricht jetzt die Niete, und mit dem *pilum*, das in ihm feststeckt, ist der Schild für seinen Träger nichts anderes mehr als eine Last, bis er das *pilum* herausbekommt. Nun ist das *pilum* Teil 1 eines Legionärsangriffs, und Teil 2 folgt auf dem Fuße: in den Hauptrollen der Legionär selbst und sein Schwert (plus ein voll funktionsfähiger Schild). Folglich bleibt selten Zeit für die *pilum*-Entfernungsaktion. Wenn ein *pilum* den Schild getroffen hat, wirft man ihn am besten weg und kämpft ohne ihn gegen den Legionär.

Das heißt aber nicht, dass das *pilum* hauptsächlich als eine Art Schildentfernungsmittel dient. Ein gut geschleudertes *pilum* ist ein Killer. Das massive Gewicht kann den dünnen Schaft quer durch den Körper eines Mannes treiben, und da eine Einheit angreifender Legionäre ihre *pila* vollkommen synchron werfen kann, muss man selten nur einem einzelnen *pilum* ausweichen, sondern (besonders wenn Sie das Pech haben, der feindliche Standartenträger zu sein) bis zu einem Dutzend gleichzeitig.

Sonstige Ausrüstung

Ein Sprichwort sagt: Wer mehr besitzt, als er eine Meile weit tragen kann, macht sich zum Sklaven seiner Besitztümer. Nach diesem Maßstab ist ein römischer Soldat auf dem Marsch ein freier Mann. Freilich würde sich ein Legionär mit seinen nicht ganz 60 Pfund auf den Schultern die Freiheit nehmen, da zu widersprechen. Früher folgte einer römischen Armee ein Tross mit Gepäck und Diener, und dieser Tross war ebenso groß – wenn nicht noch größer – wie die eigentliche

Der Infanterist ist fast so schwer bepackt wie ein Lasttier.

Josephus, *Der Jüdische Krieg* 3,95 (3,5,5)

kämpfende Truppe. Diese bequeme Arbeitsteilung war vorbei, als General Marius kam und anordnete, dass künftig nicht mehr Lasttiere die Ausrüstung der Soldaten tragen sollten, sondern die Legionäre selber; deshalb bezeichnet man sie manchmal als „Marius' Maultiere".

Tragegestell: Legionäre tragen keine Rucksäcke mit Schulterriemen, nicht zuletzt deshalb, weil sich solche Traglasten in Notfällen schwer abwerfen lassen. Stattdessen ist alles, was nicht tatsächlich am Leib getragen wird, an eine *furca* geschnallt. Das ist eine rund 1,20 m lange Stange, die durch ein Querholz T-förmig ist. An die Querstange schnürt man das Gepäck (im Grunde einen aufgerollten Ledersack).

Grabwerkzeug: Zur *furca* gehört die *dolabra*, die man an der langen Stange festzurrt. (Die *dolabra* kommt üblicherweise öfter zum Einsatz als Schwert, Schild und *pilum* zusammengenommen – zu Einzelheiten siehe Kapitel VIII.)

Mantel: Je nach Wetter kann auch der Legionärsmantel zum Tragen zusammengerollt werden. Mäntel sind schwer, weil sie meistens aus Wolle bestehen. Um so wetterfest wie möglich zu sein, sollte die Wolle noch mit dem Lanolin getränkt sein, das das zugehörige Schaf auf seinem verregneten Berghang trockengehalten hat. Wollfett

Eine gute *patera* ist wichtig. Ihr Schwert brauchen Sie pro Feldzug vielleicht nur ein- oder zweimal zu ziehen, aber Ihre *patera* brauchen Sie zwei- oder dreimal pro Tag.

Kochgeschirr für einen Trupp. Im Feld hat die Einheit eine kleine Getreidemühle dabei, aber wenn es eilig ist, kann man das Korn kochen und so essen. Frisches Gemüse ist immer erwünscht und jeder Bauernbursche im Trupp weiß, wie man einen Feldhasen als kleine Beilage in der Schlinge fängt.

duftet gelinde gesagt aromatisch und macht sich schon bemerkbar, wenn acht Mann in einem Zelt ihre Mäntel als Bettzeug benutzen, aber um es positiv zu sehen: Es ist exzellent für die Haut.

Patera: Ein Stück Ausrüstung, von dem sich kein Legionär freiwillig trennt, ist seine *patera*. Das ist ein Allzweckbecher, -kochtopf und -essnapf. Die besten haben gut 18 cm Durchmesser, bestehen aus Bronze, manchmal mit einer inneren Beschichtung aus Zinn, und sind mit eingelassenen Rillen versehen, die beim Kochen die Wärme leiten. Suchen Sie sich lieber eine *patera* mit breiter, flacher Unterseite aus als eine mit Rundboden, denn man muss sie häufig abstellen. Eine schwere *patera* ist robuster und hält länger, nur ist Gewicht auf dem Marsch immer ein Nachteil. Bei der Auswahl der *patera* hat ein Legionär also, wie so oft, die Wahl zwischen zwei Übeln.

Wasserflasche: Die Wasserflasche verkörpert auch so eine Wahl. Eine wenig bekannte Eigenschaft von Wasser ist, dass es erstaunlich viel wiegt. Deswegen muss sich ein Soldat entscheiden zwischen dem Tragen von mehreren Pfund Wasser (je nach Einsatzort) und dem Risiko, Durst zu leiden. In manchen Regionen geben Kürbisse, wenn

De re militari

- Vespasian bekam einmal einen Antrag auf Schuhgeld von Matrosen, die feststellten, dass die häufigen Märsche vom Hafen nach Rom ihre Stiefel abnutzten. Die Antwort des berüchtigt geizigen Vespasian bestand darin, die Männer barfuß marschieren zu lassen.

- Für einen geringfügigen Verstoß kann ein Legionär die demütigende Strafe erhalten, in einer nicht gegürteten Tunika Wache stehen zu müssen.

- Eine komplette *lorica segmentata* sollte rund 12–15 Pfund wiegen – eine leichtere Rüstung bedeutet dünnere Schienen, also weniger Schutz, macht dafür aber das Marschieren weniger mühsam.

- Es sind noch ein paar Bronzehelme im Einsatz, aber vermeiden Sie die möglichst.

- Schilde sind nach dem Gefecht normalerweise mehr mitgenommen als jedes andere Ausrüstungsstück; sie brauchen deswegen häufig eine Reparatur oder Ersatz.

- Auf je acht Mann kommt ein Maultier für die Ausrüstung, die nicht am Mann getragen wird.

- Eine Schwertscheide nennt man eine *vagina*.

- Das Lanolin, das Mäntel wasserdicht macht, wird einst in Kosmetika verwendet werden. Tatsächlich soll der Name einer berühmten Marke vom Wort „Lanolin" abgeleitet sein.

sie ausgehöhlt und mit einem Wachspfropfen verschlossen werden, hervorragende und leichte Wasserflaschen ab. Griffe an ihnen anzubringen ist unmöglich, aber man kann ziemlich leicht ein Netz um den Kürbis fabrizieren und ihn an einem Riemen tragen.

Proviant: Zusätzlich sollte man mit mehreren Tagesrationen Essen rechnen (inklusive *buccellatum*, einer Art Schiffszwieback, der angeblich essbar, jahrelang haltbar und wahrscheinlich auch zum Reparieren von Schilden ganz brauchbar ist).

Mit diesem Equipment auf dem Rücken ist ein Legionär bereit, es mit der ganzen Welt aufzunehmen. Natürlich wird er mehr persönliche Habseligkeiten als die hier aufgezählten besitzen, auf dem Marsch und auch im Lager (zum Glück werden ein paar Teile, darunter die Zelte, nach wie vor von Maultieren oder Ochsenkarren befördert). Trotzdem, in jeder Armee gilt die Regel: Wenn Sie etwas nicht verlieren wollen, schleppen Sie's mit.

V Ausbildung, Disziplin und Rangordnung

Si duo imperata inter se repugnantia simul tibi faciuntur, ambo sequere.

Wenn du zwei widersprüchliche Befehle erhältst, führ beide aus.

Die Ausbildung erfolgt grob gesagt in fünf unterschiedlich schweren Abschnitten, die jeweils so angelegt sind, dass gerade dann, wenn ein Rekrut glaubt, er hätte das Schlimmste hinter sich, seine Ausbilder die Latte auf einen ganz neuen Schwierigkeitsgrad anheben.

Marschieren

„Wozu ist ein Soldat überhaupt gut", fragte der große Feldherr Scipio Africanus einmal, „wenn er nicht laufen kann?" Die Armee hat sich diese Bemerkung zu Herzen genommen und eins der ersten Dinge, die der Rekrut kennenlernt, ist das Gelände rund um sein Lager, wenn er hindurchläuft, wieder und wieder. Wenn ein Trupp Rekruten so weit ist, dass die Rekruten 20 römische Meilen (30 km) in fünf Stunden laufen können, wird es Zeit, die 40 Meilen in 12 Stunden zu testen. Sobald sie das schaffen und sich am nächsten Tag trotzdem noch bewegen können, wird es Zeit, wieder mit den 20 Meilen anzufangen, nur diesmal in voller Rüstung. Wichtig ist, sich an den regelmäßigen Marschschritt eines Legionärs zu gewöhnen, weil die römische Armee gern in sauber ausgerichteter Formation marschiert und mit Fußkranken wenig Geduld hat. Der Marsch ist ein Großteil dessen, was einen Legionär ausmacht (der Rest dreht sich hauptsächlich ums gute Aussehen und das Leute-Umbringen). Selbst wenn er fertig ausgebildet und in einem festen Standort einquartiert ist, kann sich ein Legionär darauf einstellen, auf regelmäßige, ausgedehnte Übungsmärsche zu gehen.

Kampf am Pfahl

Sobald er es schafft, zu einem Kampf überhaupt hinzukommen – egal, wie weit weg der stattfindet –, wird dem Legionär beigebracht, was er tun muss, wenn er dann da ist. Die Ausbildung an der Waffe ist zum Großteil dieselbe wie für Gladiatoren. Auch das ist eine Neuerung aus der Zeit des Marius, der, als er zum General befördert worden war, entdeckte, dass Soldaten, die die Gladiatorentrainer seines Kollegen Rutilius Rufus ausgebildet hatten, Marius' Leuten insgesamt überlegen waren. Deshalb ist für den Legionär – wie für einen Gladiator beim Training – der erste Gegner, dem er sich gegenübersieht, ein großer Holzpfahl, an dem er den Schwertkampf übt. Manchmal steht dieser

„Nimm das, du elender Holzpfosten!" Ein Legionär wird im Nahkampf gedrillt, bis er ihm in Fleisch und Blut übergeht, während seine Kameraden im Hintergrund stumpfe *pila* schleudern.

Pfahl in einem Gebäude, sodass schlechtes Wetter die Ausbildung nicht stört, aber meistens sind die Pfähle im Freien, denn die meisten Kommandeure finden, dass nichts einen Soldaten nach einem Training bei schlechtem Wetter besser entspannt, als ein paar Stunden seine Rüstung zu ölen und zu polieren, damit sie rostfrei bleibt.

In solchen Fällen bleiben zumindest das Schwert und der Schild des Legionärs gut vor der Witterung versteckt. Das Training findet nämlich mit Schwert und Schild aus Holz statt, die man bald aufrichtiger hasst als jeden Parther oder Daker. Gemeinerweise sind beide Teile viel schwerer ausgelegt als die Standardausrüstung, um so den Arm des Legionärs zu kräftigen, während er Stunde um Stunde auf den Pfahl loshackt und Stiche, Stöße, Finten und Ausfälle übt. Obwohl Legionäre, wie später einmal der Autor Vegetius vermerken wird, „über die lachen, welche die Schneide [statt der Spitze] des Schwertes gebrauchen", ist der *gladius* doch eine gut balancierte Waffe, und auch Hiebe zählen zum Trainingsprogramm.

pilum-Übungen

Ist eine angemessene Fertigkeit mit dem Schwert erreicht und ein Holzpfahl kein fürchterlicher Gegner mehr, dann ist es Zeit zum Training mit dem *pilum*. Wie der Rekrut ohne Verwunderung feststellen wird, ist das Übungs-*pilum* schwerer als das Standardmodell. Außerdem hat das Übungs-*pilum* statt einer Stahlspitze am Ende einen Lederknopf – fest genug, einen schmerzlichen Stich zu versetzen, aber weich genug, nicht mehr als einen blauen Fleck zu hinterlassen. Deswegen gibt es die Ausbildung am *pilum* in zwei Teilen – wie man es wirft und wie man ihm begegnet. Das geht vonstatten, indem man Legionäre zugweise aufeinander losschickt, ein Verfahren, an das man sich später auch beim Training für den Schwertkampf gewöhnt, wenn die Holzpfähle durch echte Menschen ersetzt werden. Wiederum sind die Waffen umwickelt, und der Gegner ist meistens ein anderer Rekrut, kann aber gelegentlich ein grinsender Veteran sein, der seine sadistische Freude daran hat, jede Schwäche in der Technik des unerfahre-

> Jeder Soldat übt täglich mit soviel Energie, als wäre er in der Schlacht. JOSEPHUS, *Der Jüdische Krieg* 3,73 (3,5,1)

nen Kämpfers vorzuführen und diese Vorführung so schmerzhaft wie möglich zu gestalten.

Beweglichkeit

Spätestens jetzt wird die Bedeutung einer bequem sitzenden Rüstung denen aufgehen, die sie bisher als unwichtig betrachtet haben. Flink sein ist eine wichtige Eigenschaft für Soldaten, die man in voller Rüstung Sturmleitern hochklettern und über Festungswälle springen lässt. Deshalb hat jede Kaserne als Übungsgerät ein Pferd, auf das oder über das die Legionäre komplett bewaffnet springen müssen. Stellen Sie sich darauf ein, dass bei solchen Gelegenheiten jede Ausbuchtung oder Unebenheit auf der Rüstungsinnenseite nach jedem Sturz ein Pendant aus blauroten Quetschungen auf der Haut bekommt. Mit zunehmender Beweglichkeit werden die Anforderungen härter, bis der Rekrut am Ende mit gezücktem Schwert und womöglich noch mit einem *pilum* in der Hand aufs Pferd springt. (In diesem Stadium sind Stürze noch unattraktiver.) Um es positiv zu sehen: Diejenigen, die besonders viel Können am Sprungpferd zeigen, werden eventuell befördert und bekommen ein echtes samt einem Posten in der Legionskavallerie.

Exerzieren

Nachdem man ein halbwegs fähiger einzelner Soldat geworden ist, wird es jetzt Zeit, sich zu einem halbwegs fähigen Bestandteil einer Einheit weiterzuentwickeln. Ein Drill jagt den anderen, erst auf dem Übungsplatz und später im offenen Gelände, bis die Soldaten der Einheit sich auf Kommandoruf oder auf einen Trompetenstoß hin wie ein einziger Organismus bewegen. Jeder Rekrut lernt, wo sein Platz in der Formation ist, was er tut, wenn er am falschen Platz herauskommt,

Ich beglückwünsche [den Legionslegaten], euch in so lobenswerter Weise ausgebildet zu haben.

(Hadrian an die Legio III Augusta, 128 n. Chr.)

H. Dessau, *Inscriptiones Latinae selectae* 2487

wie man die Formation von einer Linie zu einem Keil wechselt oder wie man sich, wenn die Linie (Jupiter behüte!) durchbrochen wird, in einen Abwehrkreis zurückzieht oder Reihen frischer Truppen nach vorn durchlässt, ohne sie durcheinanderzubringen. Danach lernt die Einheit, das alles zu tun, während sie sich in hohem Tempo vorwärts, rückwärts oder seitwärts durch unebenes Gelände bewegt. In diesem Stadium lernt man es schätzen, einen Helm zu tragen, der den Träger sofort jede Anweisung hören lässt, weil derjenige, der am langsamsten reagiert, unweigerlich ins Zentrum der besonderen Aufmerksamkeit des Ausbilders rückt.

Nach einem besonders harten Tag fühlt es sich vielleicht so an, als wäre der ganze Zweck der Übung, sich Schrammen, Demütigungen und Erschöpfung abzuholen, nur der, die sadistischen Neigungen eines bestimmten Ausbilders zu befriedigen. Und ehrlich gesagt, vielleicht ist er das. Aber bei diesem Training geht es um mehr als die Verbindung von Fitness mit dem Erwerb von Kampftechniken. Wenn Sie jemandem in Zukunft irgendwann ein erbittertes Gefecht liefern – vielleicht ohne Aussicht auf Pausen, Proviant oder Verstärkung in absehbarer Zeit –, werden Sie an der Seite von Legionären stehen, die daran gewöhnt sind, ihren Job zu machen, ohne sich hinzusetzen und zu schimpfen, wie unfair das doch ist. Und natürlich kann man sich immer ausmalen, dass auch der Ausbilder mit dabei ist und jedesmal, wenn es heiß zur Sache geht, beunruhigte Blicke über die Schulter auf seine rachsüchtigen Ex-Auszubildenden wirft.

Diese rigorose Ausbildung vermittelt das Gefühl, ein genau eingepasstes Rädchen in einer hochmobilen Killermaschine zu sein. Dazu kommt das sehr tröstliche Wissen, dass die Teilzeitkrieger auf der Gegenseite nur über einen Bruchteil des Trainings, der Disziplinierheit

Kampfvorbereitungen. Diese Legionäre stehen in voller Rüstung und mit gefechtsklaren Schilden bereit; obwohl sie eng gedrängt Schulter an Schulter warten, hat das keine nachteiligen Auswirkungen auf die Schlagkraft von für dichte Formationen ausgebildeten Kämpfern.

und der Manövrierfähigkeit eines Legionärs verfügen. Und noch besser: Der Feind weiß das auch. Kurz und gut, wenn die Kampfmoral, wie allgemein angenommen, mindestens dreimal so wichtig ist wie die Zahlenstärke einer Truppe, dann bedeutet gutes Training, dass Sie mit einer beruhigend hohen Überlegenheit ins Gefecht gehen.

Disziplin – oder Dezimieren für Anfänger

Ach ja, die berühmte Disziplin der römischen Armee! Die Geschichten am Lagerfeuer überliefern liebevoll und in grausigen Details die gemeinen Strafen der Zuchtmeister von damals. Als in den Samnitenkriegen 294 v. Chr. eine Einheit die Moral verlor und davonlief, fing sie der Feldherr Atilius Regulus mit einem anderen Infanterieverband ab und ließ die Flüchtenden als Deserteure niederhauen. Appius Claudius, ein Ahnherr des Kaisers Tiberius, ließ in einer Einheit, die aus dem Kampf floh, jeden zehnten Mann totprügeln (daher der Begriff *decimatio*). Ein anderer General, Aquillius, tat dasselbe, nur entschied er sich fürs Köpfen. Crassus der Triumvir dezimierte die Soldaten einer Einheit, die vor den aufständischen Gladiatoren des Spartacus davonlief. Und als Antonius mal nicht gerade Kleopatra umwarb, richtete er jeden zehnten Mann zweier Kohorten hin, die seine Feinde nicht daran gehindert hatten, Feuer an seine Belagerungswerke zu legen. Im Jahre 18 n. Chr. wurden Soldaten der III Augusta durch *fustuarium* (siehe unten) dezimiert, nachdem sie in Afrika vor Numidern davongelaufen waren. Zu Zeiten der Republik setzte der General Metellus Macedonicus in Spanien Maßstäbe. Als seine Soldaten vom Feind aus einer befestigten Stellung vertrieben wurden, gab er den Überlebenden Zeit, ihr Testament zu machen, und schickte sie dann zur Rückeroberung der Position vor – mit der Bemerkung, bis sie es geschafft hätten, werde er sie nicht zurück ins Lager lassen.

Eins, was einem an diesen drakonischen Strafen auffallen sollte, ist, dass sie überwiegend der Vergangenheit angehören, der Zeit vor der Berufsarmee (obwohl die letzte *decimatio* der Kaiser Galba 69 n. Chr. vornahm). Selbst anno dazumal hat die Armee nicht immer brav die Suppe ausgelöffelt. Ebenfalls in Spanien beschloss der Kommandeur Servius Sulpicius Galba – zufällig ein Vorfahr von Kaiser Galba – seine Kavallerie zu bestrafen, weil sie derbe Witze über ihn gemacht hatte, und schickte sie zum Feuerholzsammeln auf einen Hügel, der, wie man wusste, von Feinden wimmelte. Empört schlossen sich viele andere Soldaten freiwillig dem Holzsammelkommando an, und dank ihrer Zahlenstärke blieb der Feind auf Abstand. Bei ihrer Rückkehr stapelten die Soldaten das Holz rund um das Zelt ihres Feldherrn und zündeten es an.

Auch die Berufsarmee ist gegen Anfälle unprofessionellen Verhaltens nicht immun:

> In blinder Wut fielen sie plötzlich mit gezückten Schwertern über die Zenturionen her – die sind ja seit undenklichen Zeiten ein Hassobjekt für Soldaten und provozierten jetzt ihre grausame Raserei. Sie warfen sie zu Boden und schlugen sie zusammen [...] die herumgestoßenen, zerfetzten und teils leblosen Körper warfen sie vor den Befestigungen in den Rhein.
> Tacitus, *Annalen* 1,32,1

Dieses reizende Anekdötchen kann man sich mit Gewinn in Erinnerung rufen, wenn man mit einem Zenturio besonders schwer zurechtkommt. Trotz dieser Horrorgeschichten sieht die Realität so aus, dass der Grad an Problemen, die man mit der Militärdisziplin hat, sich je nach Ort und Kommandeur massiv ändert. Ein paar ältere Legionäre erinnern sich noch an Geschichten vom Leben in den östlichen Legionen, bevor die Parther lästig wurden.

> Es war wohlbekannt, dass zu dieser Armee Veteranen zählten, die niemals Posten gestanden oder eine Nachtwache übernommen hatten, Soldaten, für die Erdwälle und Gräben exotische Neuheiten waren, die weder Helm noch Rüstung hatten, geschniegelte Profitmacher, die ihre ganze Zeit in Städten verbrachten. Tacitus, *Annalen* 13,35,1

Es kommt nicht oft vor, dass das Leben für einen Legionär so gut ist. Tatsächlich ist ein Feldherr, der durch die Finger sieht, nicht unbedingt ein Glücksfall, wenn er den Zenturionen erlaubt, beim Schmiergeld-Kassieren über die Stränge zu schlagen (vgl. „Lagerleben", S. 135), wogegen ein Disziplinfanatiker, der sich an die Regeln hält, für einen Soldaten, der dasselbe tut, in Wirklichkeit eine gute Nachricht ist. Nicht alle Bestrafungen werden zu jeder Zeit mit gleicher Strenge vollzogen, und Ersttätern begegnet man mit beträchtlicher Milde. Was einem zu einer Zeit und an einem bestimmten Ort eine schwere Tracht Prügel einbrächte, kann unter anderen Umständen auf nicht mehr als eine strenge Gardinenpredigt hinauslaufen.

Im Folgenden finden Sie eine Liste von Strafen, die im Lauf eines Legionärslebens lauern. Betrachten Sie die milderen als unvermeidlich, die Kollektivstrafen als Pech, und denken Sie daran, dass kein Legionär zweimal ernsthafte Delikte begeht oder seine Pflicht grob vernachlässigt, denn er wird gleich beim ersten Mal exekutiert.

Leichte Strafen – normalerweise unausweichlich

Castigatio – das ist vielleicht nicht mehr als ein lässiger Schlag mit der *vitis*, dem Rebholzstab, den der Zenturio für diesen Zweck hat, vielleicht aber auch eine ernst gemeinte Prügelstrafe mit besagtem Stock. (Einer der oben erwähnten Zenturionen, die 14 n. Chr. in den Rhein geworfen wurden, hatte den Spitznamen „Noch einen her", weil er für gewöhnlich mehr als einen Stock pro Tracht Prügel verbrauchte.)

Pecuniaria multa – Soldkürzung – sehr häufig, wenn man Ausrüstung verliert (egal wie) oder sich mit den Einheimischen in Händel einlässt; in diesem Fall dienen die Abzüge zum Schadensausgleich.

Munerum indictio – Extradienst, der häufig mit Ställen oder Latrinen zusammenhängt. Eine kleine Sonderzahlung an den richtigen Zenturio führt oft problemlos zur Umwandlung in eine *pecuniaria multa*, und tatsächlich drängt sich vielfach der Verdacht auf, dass der Zenturio die Strafe genau deshalb verhängt hat, um an das Schmiergeld zu kommen. Manchmal müssen diese Dienste unter demütigenden Umständen abgeleistet werden – eine Lieblingsstrafe ist es, mit ungegürteter Tunika wie eine Frau Wache stehen zu müssen.

Das bisher Aufgezählte deckt die meisten kleineren Vergehen im tagtäglichen Leben ab. Schwerere Straftaten oder Pflichtversäumnisse führen dazu, dass die Vorgesetzten entsprechend fieser reagieren.

Schwere Strafen – unbedingt meiden!

Gradus deiectio – entweder Degradierung oder Entzug der Privilegien für Altgediente, und weil man sich beides durch lange und oft schmerzliche Erfahrung erarbeitet hat, tut der Verlust richtig weh. *Militiae mutatio* bringt die gleichen Verluste mit sich, ist aber noch mit der Versetzung in eine schlechtere Einheit kombiniert.

Animadversio fustium – das ist das Äquivalent einer Auspeitschung: nicht ein bisschen Dresche von einem Zenturio, sondern eine richtige Züchtigung vor der gesamten Einheit. Das gibt es für größere Vergehen wie etwa das Einschlafen auf Wache im Lager. (Den Schild mit einem *pilum* abzustützen und dann auf den Schild gelehnt ein Nickerchen zu machen kann in einem verräterischen, ohrenbetäubenden Geschepper enden, wenn der Einnickende so tief einschläft, dass das ganze wacklige Gestell zusammenbricht.)

Fustuarium – Wachen, die man im Lager schlafend erwischt, sehen einer schmerzhaften Zukunft entgegen. Wachen, die man schlafend erwischt, während die Armee im Feld ist, haben gar keine Zukunft. Sie werden totgeschlagen. Das geschieht nach einem Kriegsgericht vor den höchsten Offizieren im Lager – mindestens einem Tribun. Sobald das Urteil verkündet ist, tippt der Tribun den Verurteilten leicht mit seinem Stab an und tritt dann zurück. Nun ist es die Sache seiner Kameraden, ihr Opfer zu Tode zu treten, zu schlagen, zu knüppeln oder zu steinigen. Mit Blick auf die Gefahren eines Nachtangriffs auf das Lager geschieht das oft mit großer Begeisterung, aber ein paar sehr beliebte Soldaten kommen schwer lädiert davon und bleiben für den Rest ihres Lebens Krüppel.

Kollektivstrafen (nach Härtegrad ansteigend)

Frumentum mutatum – Frumentum, Getreide, ist die tägliche Ration. Eine schuldige Einheit bekommt alles Fleisch vom Speisezettel gestrichen und wird von Weizen- auf Gerstenrationen umgestellt. Da man Gerste üblicherweise als Viehfutter nutzt, bedeutet das einen beträchtlichen Statusverlust. Gelegentlich setzt der Kommandeur noch eins drauf, indem er gleichzeitig den Sold aller Mitglieder der Einheit kürzt.

Extra muros – das ist eine Strafe, die eine Einheit zwingt, ihre Zelte vor den Wällen des Legionslagers aufzuschlagen. Sogar in befreundetem Gebiet und bei gutem Wetter ist das ein schmerzhafter Ausschluss aus der einzigen Gemeinschaft, die ein Legionär kennt. Man darf davon ausgehen, dass eine Masse kleinerer Einzelstrafen die große Kollektivstrafe begleitet. Falls eine Einheit dezimiert wird, enden die Überreste meistens vor den Wällen und müssen dort bleiben, bis sie sich mit besonders selbstmörderischer Todesverachtung vor dem Feind bewährt haben.

Missio ignominiosa – das passiert, wenn der Kaiser beschließt, dass eine Einheit schlicht nicht wert ist, weiterhin Teil der römischen Armee zu sein. Die Angehörigen – manchmal eine ganze Legion – werden aufgefordert, in Schande abzuziehen und den Rest ihrer Tage damit zu leben. Sie verlieren natürlich ihre Abfindungen. Beachten Sie, dass die *missio ignominiosa* auch über ausgewählte Einzelpersonen verhängt werden kann.

Rangordnung: von unten nach oben

Der Begriff ist etwas irreführend. Die römische Armee bietet ihren Legionären keine eigentliche Karriereleiter an. Die überwiegende Mehrheit all derer, die Soldat werden, tritt bis zu 25 Jahre später mit demselben Status aus. Wer Zenturio werden will, kann eventuell vom gemeinen Soldaten aus wegen besonderer Tüchtigkeit aufsteigen, viel wahrscheinlicher ist aber, dass man sich diese Stellen vor der Anmus-

> Als er [General Germanicus, Neffe des Kaisers] fragte, was aus dem militärischen Gehorsam, aus der Disziplin geworden sei, die in alten Tagen ihr ganzer Stolz gewesen sei, [...] lachten sie [die Soldaten] bitter, rissen sich die Kleider herunter und zeigten ihm die Narben ihrer Wunden, die Striemen der Schläge.
>
> TACITUS, *Annalen* 1,35,1

terung mit Bargeld oder Beziehungen erkauft. Die höheren Dienstgrade – der Legionslegat und die Militärtribunen, die sich das Zelt mit ihm teilen – sind politische Offiziere, die ihren Militärdienst leisten, ehe sie sich größeren Aufgaben zuwenden.

Das heißt jedoch nicht, dass alle Legionäre gleich sind. Einige sind gleicher als die anderen, und jeder ehrgeizige Legionär wird hart daran arbeiten, sich auf Abstand zum großen Haufen zu bringen.

Ein Rekrut kann sich darauf einstellen, als *munifex* anzufangen. Der *munifex* ist ein Soldat mit absolut nichts an Rang oder Privilegien. Er ist nicht einmal auf der untersten Sprosse der Karriereleiter in der Legion – er ist das, worauf sie die Leiter abstellen. Wenn Sie ein *munifex* sind, ist der Esel, der das Zelt Ihres Trupps trägt, wahrscheinlich ranghöher als Sie.

Ist man erst einmal angeworben und voll ausgebildet, lautet das erste Ziel, ein *immunis* zu werden. Die Legionäre zerfallen in zwei Kategorien, die mit besonderen Aufgaben – die *immunes* – und die ohne. Die Nichtspezialisten sind die Holzhacker und Wasserschlepper, verfügbar für undankbare Aufgaben wie das Latrinenkommando und das Heben schwerer Lasten. Die gegen solche Schinderei Immunen haben ihre eigenen Sonderaufgaben, ob sie nun in der Schmiede arbeiten oder die Buchführung für die Legion machen. Ein *immunis* ist immer noch ein *miles gregarius*, ein gemeiner Soldat, aber das Leben ist insgesamt um einiges leichter, wie sich an der Tatsache zeigt, dass ein *immunis* für Fehlverhalten bestraft werden kann, indem man ihm diesen Status entzieht.

Feldzeichenträger, wie man ihn später darstellen wird. Die Standarte seiner Einheit zu tragen zählte zu den höchsten Posten, die für den einfachen Legionär erreichbar waren. Ein Feldzeichenträger kann sich darauf gefasst machen, dass der Feind ihm während eines Kampfes eine ganze Menge persönliche Aufmerksamkeit widmen wird, also muss er der unerschrockene Typ mit eisenhartem Kiefer sein, wie er hier dargestellt ist. Auf dem Marsch den Adler zu tragen ist auch keine leichte Aufgabe, also denken Sie gut nach, ob der Job das Prestige und den doppelten Sold wert ist.

Wenn man darauf aus ist, ein *immunis* zu werden – und das empfiehlt sich –, ist es eine gute Idee, sich in einem Handwerk wie Klempnerei, Waffenherstellung oder Schreinerei Kenntnisse anzueignen. Gut lesen und schreiben zu können ist ein Riesenvorteil, weil die Legion ständig Schreibkräfte für Schriftverkehr und Archivzwecke braucht. Jeder, der lesen und schreiben kann, sollte das sofort dem *cornicularius* mitteilen, dem Chef der Legionsschreibstube; Sie erkennen ihn an den schmucken Hörnchen, die seitlich an seinem Helm baumeln. Einer der Vorteile an der Schreiberei besteht darin, dass sie meistens drinnen erledigt wird. Zugegeben, das dient eher zum Schutz des Schreibals des Menschenmaterials, aber der Büromitarbeiter profitiert trotzdem davon.

Ein besonders rechenkundiger Soldat kann am Ende seiner Laufbahn *signifer* werden, der Mann, der die Standarte des Manipels trägt (nicht den Adler – das ist die Aufgabe des noch ranghöheren *aquilifer*). Der *signifer* trägt das Emblem der ‚offenen Hand', das die Soldaten an ihren Eid erinnert, und ist außerdem zuständig für den Ruhestandsfonds der Legionäre. Warum man seine Rente einem Mann anvertraut, der im Kampf die Wurfspeere magnetisch anzieht, wirkt nicht mehr ganz so rätselhaft, wenn Sie sich klarmachen, dass ein Legionär mit dem Mut der Verzweiflung kämpft, um die Feldzeichen zu verteidigen – teilweise, weil er gleichzeitig den Mann schützt, der die genaue Höhe seines Abfindungskontos kennt.

Heutzutage ist *immunis* kein Dienstgrad, nicht einmal ein offiziell anerkannter Status. Wenn ein mies gelaunter Zenturio einen *immunis* zum Grabenschaufeln abkommandiert, kann der nichts tun, als zähneknirschend hoffen, dass irgend jemand seinen Spezialbeitrag zum Wohlergehen der Legion vermisst und wichtig genug ist, ihn zurück an seine eigentliche Arbeit zu holen.

Wer nichts anderes kann, außer ein guter Soldat zu sein, sollte sich das Ziel setzen, ein *principalis* zu werden. Das ist noch besser, als *immunis* zu sein, aber entsprechend weniger Legionären steht diese Möglichkeit offen. Ein Beispiel für einen *principalis* ist ein *tesserarius*. Wie der Name schon andeutet, ist er einer derjenigen, die für das

Die von [anderen] Pflichten zu befreienden Personen [...]: Der Stellmacher (der die Wagen repariert), der Bursche des Tribunen und Curiatius und Aurelius, der Buchhalter und Schreiber.

(Aus der Dienstrolle einer ägyptischen Legion; III Cyrenaica oder XXII Deiotariana) Papyrus Genf Lat. 1,4 B

R. O. Fink, *Roman Military Records on Papyrus* Nr. 58, col. II

Organisieren des Wachdienstes zuständig sind (die Parole des Tages wird normalerweise auf eine Tonscherbe oder *tessera* geschrieben). Ebenfalls zu den *principales* zählt der *optio*, ein Mann, der dafür vorgesehen ist, die Aufgaben des Zenturio zu übernehmen, falls der Zenturio unabkömmlich sein sollte, weil er mit anderen Pflichten beschäftigt ist oder einen Speer in der Brust stecken hat. Die *optiones* einer Legion haben ihren eigenen Verein (*schola*) und bilden zusammen mit den anderen *principales* eine verschworene Gemeinschaft. *Principales* haben die beste Chance, einmal Zenturionen zu werden, und arbeiten eng mit diesen zusammen. Sobald ein Legionär einmal die *caliga* in der Tür dieser kleinen Clique hat, läuft es in den übrigen Jahren seiner Dienstzeit fast unter Garantie wie geschmiert.

Mit den hohen Tieren seiner Legion hat ein Legionär wenig Kontakt. Eine gute Grundregel lautet, dass Sie jedem mit einem querstehenden Helmbusch oder einem hübschen Band unter den angedeuteten Muskeln am Brustpanzer aus dem Weg gehen sollten. Die Bänder sind das Zeichen für Offiziere, und das Beste, was sich über diese Leute sagen lässt, ist, dass sie mitkämpfen und im selben Tempo sterben wie gewöhnliche Soldaten. Auch von Zenturionen erwartet man, dass sie mitreißende Tapferkeit zeigen, und weil ihre typischen Helmbüsche sie zu guten Zielscheiben machen, bringen die Feinde sie in großen Stückzahlen um – eine Tatsache, die bei den meisten Legionären wenig Kummer auslöst.

Zenturio, der stolz den markanten querstehenden Helmbusch zeigt. Auf seinem Panzer stellt er die *torques* und *phalerae* zur Schau, die er für Tapferkeit vor dem Feind erhalten hat, und in der Hand trägt er die *vitis*, seinen Rebstock, mit dem er Legionären eins überbrät.

Dienstgrade über dem Legionär

Unter den Zenturionen herrscht eine verwickelte und nicht ganz gesunde Rangordnung, die sich hauptsächlich darum zu drehen scheint, wer Anspruch auf den besten Sitz in der Kneipe hat oder als Letzter einen Arbeitstrupp in den Regen hinausführen muss. Pro Legion gibt es an die 60 Zenturionen – was, wie Ihnen jeder Soldat sagen kann, viel zu viele sind. Die Zenturionen der ersten Kohorte verachten die Zenturionen der anderen Kohorten, wobei der Zenturio der vorderen Zenturie im Manipel (*pilus prior*) zusätzlich vielleicht einen Zenturio der hinteren Zenturie (*pilus posterior*) verachtet.

Ob nun ein *hastatus prior* der dritten Kohorte (die Namen beziehen sich auf ihren Platz in der Schlachtordnung) ranghöher ist als

In dieser Legion dienten zwei sehr tapfere Männer, Zenturionen […], nämlich Titus Pullo und Lucius Vorenus. Zwischen ihnen gab es dauernd Streit […]

Caesar, *Gallischer Krieg* 5,44,1–2

ein *princeps prior* der fünften Kohorte, ist vielleicht sehr wichtig für die beiden Betroffenen, aber nicht für alle anderen. Für den Durchschnittslegionär ist jeder Zenturio ein *bubo posterior* („Pickel am Po"), der das höchste Ansehen genießt, solange er auf Außendienst weit weg ist; das ist oft der Fall. Zenturionen verfügen über eine Mischung aus Initiativgeist und Dienstgrad, die sie zu den Allzwecksoldaten der Armee macht, gut geeignet für diplomatische Aufträge, wohlerwogene Exekutionen, das Eskortieren wichtiger Gefangener oder die Führung kleinerer Kontingente bei Überfällen, Aufklärungsmissionen oder Nachhutgefechten.

Der oberste Zenturio der Legion ist der *primus pilus*. Dazu gemacht hat ihn seine Tüchtigkeit im bewaffneten Kampf und im Hickhack unter Kameraden. Seine wichtigsten Vorzüge sind Mut, Rücksichtslosigkeit, großes Organisationstalent und ein Defizit an Mitgefühl. Er wird vielleicht geachtet, fast sicher gefürchtet und durch die Bank nicht gemocht.

Militärtribunen – Kümmern Sie sich nicht um Bemerkungen wie „falls je einer einen Militärtribunen gegrüßt hat, muss das Licht aber schlecht gewesen sein". Es stimmt, dass früher manche dieser Möchtegern-Generäle nur deshalb zur Armee gingen, um ihre politische Karriere voranzubringen, und dem Vernehmen nach manchmal zusammenklappten, wenn sie hörten, der Feind sei im Anmarsch.

In der Armee von heute jedoch bringen die meisten Tribunen bereits Kommandoerfahrung aus einer Auxiliareinheit mit und können mit beruhigender Professionalität ein, zwei Kohorten übers Schlachtfeld scheuchen. Von diesen Tribunen gibt es fünf pro Legion. Ihre Kompetenz ist unterschiedlich hoch, aber ihr stets nackter Ehrgeiz schlägt an Bissigkeit jeden Haifisch.

Praefectus castrorum – der Lagerpräfekt. Die anderen Offiziere kennen ihren Job vielleicht nicht, aber der *praefectus* ist ein Vollprofi. Normalerweise ist er der Zenturio mit der längsten Dienstzeit in der ganzen Legion und weiß viel mehr über ihre Geschichte und ihre Einsätze als jeder andere. Außerdem ist der *praefectus* so ziemlich der Einzige, der einen *primus pilus* beiseite nehmen und ihm ein paar gute Ratschläge oder, wenn nötig, auch einen Rüffel geben kann (vor seiner Beförderung ist er wahrscheinlich selber *primus pilus* gewesen).

Sollte dem Legaten etwas Schlimmes passieren (sagen wir, er wird nach Rom beordert und als potenzieller Verräter hingerichtet), übernimmt der *tribunus laticlavius* das Kommando. Das „*laticlavius*" ist ein Verweis auf den breiten Streifen, den diese Person an seinen Zivilkleidern trägt, denn wie sein Kommandeur wird auch dieser Offizier bald ein Senator sein – er gehört bereits jetzt zum Senatorenstand. Doch in letzter Zeit gehen Legionskommandos öfter an Nichtsenatoren, je nach Standpunkt ein Zeichen, dass es entweder mit den Zuständen in Rom bergab geht oder die Armee professioneller wird. Stellen Sie sich auf ein Milchgesicht ein, das ständig den *praefectus castrorum* fragen wird, was er jetzt tun soll.

Der Legionslegat ist *der* Topmann. Wenn die Legion die einzige in einer Provinz ist, dann ist er wahrscheinlich zugleich der Provinzstatthalter. Der Durchschnittslegat bleibt nur drei bis vier Jahre im Amt, weil die Kaiser es nicht gern sehen, wenn die Legionäre sich ihren Kommandeuren zu eng verbunden fühlen. Schließlich kann das Kommando über einen beträchtlichen Teil der gesamten Militärmacht Roms einen Mann auf Ideen bringen.

Als einige Militärtribunen vom Feind erschlagen worden waren, der *praefectus castrorum* gefallen war, [...] viele Zenturionen verwundet und einige der ranghöchsten Zenturionen sogar getötet, machten die gemeinen Soldaten sich selber Mut [...] und erfochten einen Verzweiflungssieg. (Illyrienfeldzug, 9 n. Chr.)

Vell. 2,112,6

De re militari

- Gute Gräben und Wälle sind wichtig. Auch wenn er seine Grundausbildung beendet hat, wird von einem Legionär erwartet, dass er mehrere Stunden pro Woche damit verbringt, seine Kampftechnik – und seine Grabtechnik – zu perfektionieren.

- Während der Meutereien am Rhein teilten die Legionäre, nachdem sie ihre Zenturionen losgeworden waren, selber die Wachdienste, Patrouillen und täglichen Lagergeschäfte ein.

- Ein römischer „Schritt" ist ein Doppelschritt und zählt von da an, wo ein Fuß den Boden verlässt, bis dahin, wo er ihn wieder berührt. Tausend dieser Schritte (*mille*) ergeben eine römische Meile von 1480 m.

- Die römische Armee kennt zwei Marschgeschwindigkeiten. Der „militärische Schritt" ist ein zügiger Marsch mit 6,8 km/h für schnelle Manöver. Die eigentliche Marschgeschwindigkeit ist ein längerer und ruhigerer Schritt.

- Zu den „Sonderaufgaben" für Zenturionen zählen Dinge wie der Transport des Apostels Paulus nach Rom und der Mord an Kaiser Neros Mutter Agrippina.

- Die Beförderung zum Zenturio geschieht auf Empfehlung des Legaten oder des Statthalters und wird vom Kaiser bestätigt.

- Vom Zeltmacher bis zum Landvermesser gibt es mindestens 20 Spezialfunktionen, die in der Legion von *immunes* verrichtet werden.

VI Leute, die Sie gern umbringen möchten

Feminas semper molliter tracta,
si ab earum viris forsitan apprehenderis.
Sei immer nett zu den Frauen, wenn es sein kann,
dass dich ihre Männer erwischen.

Eine der schönen Seiten am Dienst in der römischen Armee ist, dass der Feind in vielen verschiedenen Kostümen auftritt. Gerade wenn Sie sich daran gewöhnt haben, mit nackten germanischen Stammeskriegern fertigzuwerden, die aus dem Hinterhalt hervorspringen und mit spitzen Stöcken herumstechen, die sie im Feuer gehärtet haben (damit wird man schwerer fertig, als es klingt), kann eine Versetzung Sie mit parthischen Kavalleristen konfrontieren, die mit eingelegten Lanzen und Mann neben Mann, gepanzert von den Zehen bis zu ihren reglosen Eisenmasken, in dichten Hundertschaften herandonnern. Ob er mit einer Streitwagenattacke blau bemalter Pikten im kaledonischen Schnee konfrontiert ist, mit dem plötzlichen Dolchstoß eines *sicarius* („Dolchmannes") in einer Jerusalemer Kneipe oder mit einem Wurfspeerhagel aus einer afrikanischen Staubwolke, die vollgepackt ist mit numidischen Reitern – je mehr ein Legionär über seine Feinde weiß, desto besser stehen seine Chancen, sie zu überleben.

Die Pikten – Tod aus dem Nebel

Südlich der Grenze sind die Briten inzwischen friedfertig, wenn ‚friedfertig' das richtige Wort für eine grantige Sippschaft ist, die ihr Leben unter dräuend grauen Himmeln verbringen und mehr Legionäre pro Kopf benötigen, damit sie unter Kontrolle bleiben, als jeder andere im Reich. (Britannien hat drei Legionen – das größere und bevölkerungsreichere Hispanien hat eine.) Wer schon mal im Norden war, kennt den Pikten und die Distel, die vieles gemeinsam haben – beide klein, rötlich blau, pieksig und mit der Tendenz, unachtsame Leute plötzlich zu durchbohren. Wer knapp südlich der Grenze lebt, sieht vielleicht keine Pikten, kann aber auf ihre Gegenwart aus der geheimnisvollen Weise schließen, in der ganze Schafherden über Nacht verschwinden.

> Die roten Haare und langen Gliedmaßen der Einwohner Kaledoniens weisen eindeutig auf germanische Herkunft hin [...] Selbst die Gallier hatten, wie wir wissen, einst einen Ruf als Krieger, aber [...] sie haben ihren Mut zusammen mit ihrer Freiheit verloren. Das ist auch mit den seit längerer Zeit eroberten Stämmen Britanniens geschehen; die Übrigen sind noch, was die Gallier einmal waren. Tacitus, *Agricola* 11,2.4

Der Name „Pikte" ist Soldatenslang für jeden Nordbritannier und heißt „bemalt". Die Malerei besteht bei den Pikten nicht nur aus ihren üppigen Tätowierungen, sondern auch aus dem Waid, mit dem sie sich bekleckern, ehe sie in die Schlacht ziehen. Nicht nur löst die Kombination aus blauem Waid und roten Piktenhaaren bei Feinden, die diese Farbkollision nicht gewöhnt sind, Übelkeit aus, der Waid wirkt auch antiseptisch und verhindert Wundinfektionen. Die Mehrheit der Pikten besteht aus Kaledoniern, aber in letzter Zeit haben sie einige blonde Briten dazubekommen, die die römische Herrschaft nicht vertragen können und sich ein neues Zuhause im Norden gesucht haben.

Dank ihrer Stammesstruktur sind die Briten, wenn sie nicht gerade auf die Römer losgehen, intensiv mit Bruderkriegen beschäftigt.

Eine piktische Blitzattacke bricht aus der Deckung am Hügelhang eines kaledonischen Glen hervor, um einer ahnungslosen Römerpatrouille den Tag zu verderben.

Wenn sie in Bedrängnis geraten, ziehen sie sich in Bergfestungen (sogenannte *hill forts*) zurück, die sie sehr geschickt verteidigen. Falls man diese Festen nicht mit einer großen Zahl höchst aufmerksamer Wachen einschließt, stellen die Legionäre, wenn sie dann in der Dämmerung ihren Sturmangriff machen, eventuell fest, dass der Feind sich über Nacht verflüchtigt hat und in diesem Moment den römischen Nachschub unten im Tal plündert.

Diese Taktik, sich zu zerstreuen und anderswo neu zu konzentrieren, wurde in den 80er-Jahren n. Chr. bei einem Nachtangriff auf die glücklose IX. Legion verwendet. Sie war so effizient, dass die Pikten die Legion vielleicht ausgelöscht hätten, wenn nicht die Kavallerie rettend eingegriffen hätte. Die Soldaten der Neunten hatten gerade eine ähnliche Abreibung durch Boudicca hinter sich, also ist blau nicht ihre Lieblingsfarbe.

Gegen die Pikten und ihre Verbündeten schlugen die Römer eine große Schlacht im Jahr 84 n. Chr. im Norden Kaledoniens, an einem Ort namens Mons Graupius. Nach ihrem Sieg stellten die Römer zu ihrem Ärger fest, dass sich an die 20 000 Feinde einfach in Luft aufgelöst hatten; die Späher konnten sie nicht einmal aufspüren, geschweige denn ein zweites Mal zum Kampf stellen. Diese Männer und ihre Kinder sind immer noch da draußen und unbesiegt. So mancher Proviantbeschaffungstrupp hat die Pikten wie Geister aus dem Nebel auftauchen sehen.

Vielleicht denken Sie, dass Krieger, deren Kampfdisziplin und Koordination ein bloßer Witz sind und die nur Speere und plumpe Schilde verwenden (wichtige Krieger haben allerdings Schwerter und sogar importierte oder erbeutete Rüstungen), kein ernstzunehmender Gegner sind. Und wenn es zum bewaffneten Zusammenstoß kommt, kann man die Pikten wirklich wie am Mons Graupius allein mit Auxiliaren schlagen. Aber ihr Guerillakrieg ist so heftig, dass man schon davon spricht, sich komplett aus dem Norden zurückzuziehen, eine Mauer von einer Seite der Insel zur anderen zu bauen und so zu tun, als gäbe es Kaledonien nicht. Die Legionärsbesatzung in der Festung Inchtuthil im Norden ist bereits abgezogen, und die Räumung der Auxiliarstützpunkte schreitet voran.

Für uns, die wir an den äußersten Grenzen der Erde und der Freiheit leben, sind diese entlegene Zuflucht und Britanniens Ruhm bisher eine Schutzmauer gewesen [...] Lasst uns, ein unversehrtes, unbesiegtes Volk, also [...] gleich im ersten Gefecht zeigen, was für Männer Kaledonien besitzt.

(Der Britenführer Calgacus vor der Schlacht am Mons Graupius)

Tacitus, *Agricola* 30,3; 31,4

Gut zu wissen

1. Nur weil Sie sie nicht sehen, heißt das nicht, dass sie nicht da sind.
2. Wenn Sie die Pikten dann sehen, ist es vielleicht zu spät.
3. Pikten besiegen ist leicht. Ihnen klarzumachen, dass sie besiegt sind, ist anscheinend unmöglich.
4. Wer gegen Pikten kämpft, kämpft gleichzeitig gegen Nebel, Kälte und lange, nasse Winter, in denen Schimmel auf den Tuniken und zwischen den Zehen wächst.

Die Germanen – der teutonische Furor

Fragen Sie einen erfahrenen Legionär aus dem Rheinland (sagen wir, einen Veteranen der XXII Primigenia), wie das so ist, wenn man gegen Germanen kämpft, und die Antwort ist vermutlich ein gutmütiger Seufzer und die Gegenfrage: „*Welche* Germanen?" Für den Feinschmecker treten die Germanen offenbar – obwohl sie stets groß, haarig und wild sind – in diversen Geschmacksrichtungen auf. Manche Germanen, etwa die Friesen, Cherusker oder Chatten, mögen die Römer vielleicht nicht besonders, aber dass man sich über ein Jahrhundert aneinander gerieben hat, hat bei ihnen zu einem gewissen Grad an Romanisierung geführt. Der Durchschnittseingeborene kippt zwar immer noch Bier in großen Mengen in sich hinein, doch normalerweise hat er auch Geschmack am Wein gefunden, und ein Germanenhäuptling kann womöglich sogar mit großer Kennerschaft über den Jahrgang reden.

Die Germanen, die äußerste Kampfwut mit einem Maß an Verschlagenheit verbinden, das einem, der sich mit dieser Rasse geborener Lügner nicht auskennt, unglaublich vorkommt […]

Velleius Paterculus, *Römische Geschichte* 2,118,1

Aber andere Germanenstämme sind noch ärmlicher; ich meine die Cherusker, die Chatten, die Gamabrivier und die Chattuarier und auch, am Meer, die Sugambrer, die Chauben, die Brukterer und die Kimbrer und auch die Kauker, die Kaulker, die Kampsianer und mehrere andere.

Strabon, *Geographika* 7,1,3

Solche Krieger haben außerdem jahrzehntelange Erfahrung im Kampf gegen Legionäre, und tatsächlich haben einige ihrer gewieftesten Anführer – Arminius und Civilis beispielsweise – an der Seite derselben Legionäre gedient, gegen die sie später ihre militärischen Talente einsetzten. Diese Männer haben gelernt, dass blinde Angriffslust mit einem gut geschleuderten *pilum* nicht mithalten kann und dass die Legionäre die Germanen auf freiem Feld zwar abschlachten können, die Germanen aber in dichtem und am besten auch sumpfigem Wald einen Vorteil haben. (Und Germanien hat deprimierend viel Sumpf und Wald.)

Ein halbromanisierter Germane kennt sich mit einer Rüstung aus und kann ein Meister mit dem Schwert sein. Er ist imstande, originelle Beleidigungen auf Latein zu äußern oder sogar – wenn er Unmut in den Legionen wittert, gegen die er kämpft – jedem, der die Seite wechseln möchte, ein spontanes Stellenangebot zuzubrüllen.

Die Barbaren passten sich langsam der römischen Lebensweise an, gewöhnten sich ans Abhalten von Märkten und trafen sich in friedlichen Versammlungen. [...] Deshalb beunruhigte sie der Wandel ihrer Lebensweise nicht, solange sie unter sorgsamer [römischer] Aufsicht nur allmählich und Schritt für Schritt ihre alten Gewohnheiten verlernten, und sie änderten sich, ohne es zu merken.

Cassius Dio, *Römische Geschichte* 56,18,2

Germanenkrieger in einer ungewohnt nachdenklichen Pose. Dieses Exemplar ist relativ wohlhabend, denn er hat einen gut gearbeiteten Schild und Eisenspitzen an seinen Speeren. Die Germanen besitzen die beunruhigende Eigenschaft, sich aus friedlichen Eingeborenen abrupt in schreiende, blutgierige, tätowierte Albtraumfiguren zu verwandeln.

Um den Germanen sozusagen im Originalzustand zu bekämpfen, muss man nach Norden oder nach Osten gehen. Völker wie die Semnonen oder die Quaden ziehen immer noch mit einem Minimum an Kleidern in den Kampf und tragen nur die *framea*, den gefürchteten germanischen Kriegsspeer. Was ihren Kampftaktiken an Subtilität abgeht, ersetzen sie durch blindwütig-begeisterte Blutgier, und das Fehlen raffinierter Ausrüstung gleicht die Anzahl aus. Die übliche Taktik besteht darin, eine Riesenmenge Krieger zu einem dichten Keil zusammenzuballen – mit den besser bewaffneten Typen auf der Außenseite – und mit hoher Geschwindigkeit in die Reihen der Römer zu stürmen. Diesen *furor Teutonicus* – den wilden germanischen Sturmangriff – muss man offenbar miterleben, um ihn voll würdigen zu können, nur ist Wertschätzung, falls es dem Angriff wirklich gelingt, die Schlachtreihe zu spalten, noch nicht einmal das Letzte, was der Legionär in den ihm verbleibenden Sekunden empfinden wird.

Wird der Angriff abgeschlagen, bleiben die Germanen normalerweise nicht für einen zweiten Versuch in der Gegend, sondern verschwinden so unerwartet in den Wäldern, wie sie gekommen sind. Die Legionäre untersuchen anschließend die Leichen der Gefallenen und bemerken vielleicht die charakteristischen Duttfrisuren der Suebenstämme – oder ihre Nachfolger in rund 100 Jahren ziehen vielleicht die gemeinen Wurfäxte der Franken aus ihren Schilden.

Falls es ein Überraschungsangriff ist, beachten Sie den Herrn in der guten Rüstung mit seiner muskulösen Leibwache. Das ist der Häuptling, der bei einem Fehlschlag seine Männer zurück in den Wald führt. Töten Sie ihn und sein Gefolge kämpft bis zum Tod, denn es hat geschworen, mit ihm zu kämpfen und zu sterben, und zuhause haben sie nichts mehr zu erhoffen, falls sie ihren Schwur brechen.

Wenn der Angriff gelingt, ist es vielleicht auch für die Legionäre eine gute Idee, bis zum Tod zu kämpfen. Die Germanen sind nicht sehr zimperlich mit ihren Gefangenen und praktizieren Menschenopfer in einer besonders unappetitlichen und schmerzhaften Form.

Das Gute am Durchschnittsgermanen ist, dass er faul, chaotisch und disziplinlos ist – ganz anders als die effizienten, fleißigen und ordentlichen Jungs aus Italien. Man hat festgestellt, dass die Germanen sich alles in allem genauso gern bekämpfen, wie sie Römer umbringen. So mancher Angriff auf die römischen Linien (in dieser Gegend *limes* oder „Grenzweg" genannt) ist vereitelt worden, indem man einem Haufen Feinde eine Wagenladung Wein lieferte, damit sie im Gegenzug über einen anderen Haufen herfielen. „Teile und herrsche" ist eine altbewährte römische Taktik und funktioniert im Rheinland besonders gut.

Gut zu wissen

1. Sümpfe und Wälder meiden. Das heißt unterm Strich, man sollte Germanien fernbleiben.
2. Der heftigste Teil einer Germanenattacke ist nach vier Minuten vorbei. Der Trick besteht darin, nach fünf Minuten noch am Leben zu sein.
3. Wenn Sie es lange genug vermeiden können, gegen die Germanen zu kämpfen, kämpfen diese stattdessen gegeneinander.
4. Dieselben Generäle, die germanische Soldaten angeblich verachten, greifen sofort zu, wenn sie germanische Söldner anwerben können.

Die Juden – asymmetrischer Widerstand als Kunstform

Von all den vielen Feinden, die Sie vielleicht zu töten versuchen, sind nur die Juden dazu imstande, Sie zu verklagen, wenn's schiefgeht. Das jüdische Volk genießt schließlich auch den Vorteil, dem Römischen Reich anzugehören, bloß sieht es das selber nicht ganz so. Die stolzen, sturen Leute aus Judäa, vor zwei Generationen als Provinz annektiert, zeigten ihre Dankbarkeit im Jahr 66 n. Chr. mit einer Rebellion, die das Gros der XII. Legion in Beth Horon auslöschte und zu allem Unglück auch noch deren Adler eroberte.

Obwohl der spätere Kaiser Vespasian die Rebellion zerstampfte und Jerusalem während der Belagerung und Plünderung unter dem Kommando von Vespasians Sohn Titus weitgehend dem Erdboden gleichgemacht wurde, kann man nicht gerade sagen, dass die Niederlage den Willen des jüdischen Volkes gebrochen hat. Ihren Widerstand leisten sie sowohl im rechtsfreien Raum als auch mit gesetzlichen Mitteln. Die Juden haben eine lange Tradition rabbinischer Gelehrsamkeit, und viele kennen ihre eigenen wie auch die kaiserlichen Ge-

Jüdische Widerstandskämpfer. Ein Vorteil von Judäas Status als römische Provinz liegt darin, dass Sie viele der gegen Sie geschleuderten Beschimpfungen verstehen werden – *Romani ite domum* ist darunter wahrscheinlich noch eine der am wenigsten herben und ehrenrührigen.

setze im Schlaf. Das Ergebnis ist ein richtiger Strom von Gesandtschaften zum Kaiser, die ihm echte und vermeintliche Regelverletzungen bis ins Detail vortragen, während gleichzeitig eine große und rührige Guerilla die Armee auf dem flachen Land piesackt. Eine weitere Rebellion in großem Stil ist während der nächsten ein, zwei Generationen so gut wie sicher.

In diesem Zusammenhang fällt häufig der Begriff *listim*. Je nach persönlichem Standpunkt sind *listim* politisch gewordene Banditen, Guerillakämpfer oder Terroristen. Zur selben Zeit benutzen die Rabbiner denselben Begriff, um die römischen Behörden zu bezeichnen, also kann man mit Sicherheit nur sagen, dass er nicht als Kompliment gedacht ist.

Rabbi Chanina, der Vorsteher der Priester, sagte: Bete für das Wohl der Obrigkeit, denn gäbe es keine Furcht vor ihr, würde einer den anderen lebendig verschlingen.

Sprüche der Väter (Talmud, Mischna Avot) 3,2

Ein großes Problem für Legionäre ist die Unterscheidung jüdischer Freunde von Feinden – und dieses Problem ist nicht auf Judäa beschränkt. Es gibt große, aufsässige jüdische Bevölkerungsgruppen in der Kyrenaika, in Alexandria und auf Zypern. (Außerdem rund 50 000 besser integrierte Landsleute in Rom.)

Auf der einen Seite gibt es solche wie Flavius Josephus, einen Rebellenführer, der auf die römische Karte setzte und den Rest seines Lebens mit dem Versuch verbracht hat, den Graben zwischen beiden Kulturen zu überbrücken. Es existiert auch eine rabbinische Gruppe, die ein Arrangement mit den Römern befürwortet.

Auf der anderen Seite gibt es die Makkabäer, also jene Juden, die der langen Tradition folgen, allen Invasoren Widerstand zu leisten (die Assyrer, Perser und Seleukiden hatten mit den Juden ähnlichen Ärger). Die Zeloten sind eine Splittergruppe, die diese Position noch einen Schritt weiter treibt und bewaffneten Widerstand als Pflicht ansieht. Die Sikarier sind Widerstandskämpfer, die die Zeloten als Schlappschwänze betrachten, weil die nicht die Sikariertradition praktizieren, in vollen Zügen zu morden, zu kidnappen und zu erpressen, und zwar nicht nur Römer, sondern auch alle Juden, die ihrer Sache nicht begeistert genug gegenüberstehen.

Aufs Ganze gesehen wird das Leben mit einer feindseligen Einwohnerschaft nie langweilig. Die guten alten Übungs-*pila* kommen ab und zu zum Einsatz, um Menschenansammlungen aufzulösen, aber

Denn die Juden sahen es als unerträglich an, dass Fremde sich in ihrer Stadt niederlassen und fremde Religionen dort Wurzeln schlagen sollten. Cassius Dio, *Römische Geschichte* 69,12,2 selbst wenn man nur stumpfe Speere verwendet oder sie mit besonders viel Kraft wirft, geht sehr wahrscheinlich eine Delegation zum Statthalter und beschwert sich über „exzessive Gewaltanwendung". Wenn sie rebellieren, kämpfen die Juden wie Besessene, deswegen nehmen die Kaiser ihre Empfindlichkeiten normalerweise ernst. Zum Beispiel wurde ein Legionär hingerichtet, weil er in beleidigender Absicht seine Tunika lüftete, um öffentliches Ärgernis zu erregen; und unter allen Untertanen des Kaisers wird allein von den Juden nicht verlangt, dass sie ihm opfern. Ja, die Truppen müssen sämtliche Insignien, die das Kaiserbild tragen, gut wegpacken, bevor sie Jerusalem betreten, oder ziehen manchmal sogar aus Rücksicht bei Nacht in die Stadt ein.

Die Geduld Roms hat allerdings ihre Grenzen. Jeder Gewaltakt gegen römische Nachschubkolonnen kann dazu führen, dass die Leute aus dem nächsten Dorf oder Städtchen vertrieben, eventuell auch in die Sklaverei verkauft, und ihre Häuser dem Erdboden gleichgemacht werden. Der Mann einer Jüdin, die von Banditen / Terroristen / religiösen Guerilleros entführt worden ist, hat nach rabbinischem Recht die Pflicht, Lösegeld zu zahlen. Hat die gleiche Frau das Unglück, in die Hände der römischen Behörden zu fallen, ist der Gatte nicht dazu verpflichtet. Die Banditen respektieren die sexuelle Unantastbarkeit der Frau – die Römer sehr wahrscheinlich nicht.

Vielleicht weil sie eine lange eigenständige Geschichte und Tradition besitzen, scheinen die Juden die Wohltaten nicht angemessen würdigen zu können, die ihre Eroberer ihnen gebracht haben. Ihre strikte

Da die Hure sitzt, sind Völker und Scharen und Helden und Sprachen. Und die zehn Hörner, die du gesehen hast auf dem Tier, die werden die Hure hassen und werden sie wüste machen und bloß und werden ihr Fleisch essen und werden sie mit Feuer verbrennen [...] Und das Weib, das du gesehen hast, ist die große Stadt, die das Reich hat über die Könige auf Erden.

(Jüdische Schmähschrift gegen die Römer und ihre Kaiser)
Apokalypse 17,16. 18

Gut zu wissen

1. Nur weil eine Stadt gestern sicher war, muss sie es heute noch lange nicht sein.
2. Es ist schwer zu sagen, wo die Freunde und wo die Feinde sind. Es tröstet ein wenig, dass die Juden untereinander dasselbe Problem haben.
3. Wenn Sie einen jüdischen Aufrührer töten müssen, dann bitte mit vollem Respekt für seine religiösen Empfindlichkeiten.
4. Kämpfen Sie gegen streng religiöse Juden möglichst am Sabbat. Wie man damit klarkommt, haben sie immer noch nicht herausgefunden.

Religiosität animiert sie zu Widerstand, der an Terrorismus grenzt und gelegentlich in ihn übergeht, und ihre Neigung zu großangelegten, fanatischen Revolten lässt viele Römer grübeln, ob es sich gelohnt hat, diesen undankbaren Leuten ihre kulturellen Errungenschaften zu bringen. Es tröstet nicht, dass auch viele Juden aufrichtig wünschen, die Römer hätten sich nicht die Mühe gemacht.

Die Berber – Außenseiter in Boomzeiten

Wer in Afrika einen verschlafenen Hinterhof des Imperiums vermutet, darf sich auf einen Schock gefasst machen. Die Gegend steckt mitten im Aufschwung, ganze Städte schießen hinter dem *limes* – der halb militärischen, halb administrativen Trennlinie zwischen Rom und dem Berbergebiet – frisch aus dem Boden. Ein Legionär der afrikanischen Armee muss heutzutage mit dem Meißel so gut umgehen können wie mit dem *gladius*, denn neue Straßen und neue Kastelle entstehen auf der fruchtbaren afrikanischen Küstenebene von den Säulen des Herakles bis nach Mauretanien und Numidien.

Viele der Ansässigen haben sich dem neuen römischen Lebensstil angepasst, und Numider mit Namen wie Rogatus und Fortunatus sind keine Seltenheit. Aber Sie brauchen nur auf einen jener Grabsteine zu

Der römische General] Curio folgte dem Feind […] auf die offene Ebene. Er wurde von numidischen Reitern umzingelt und verlor Heer und Leben. FRONTINUS, *Strategeme* 2,5,40

blicken, die erklären, dass der Mann unter ihm *gladio percussus a barbaris* starb („von Barbaren erschlagen"), um zu wissen, dass einige einheimische Völker sich die römische Besatzung allen Wirtschaftsimpulsen zum Trotz nicht einfach gefallen lassen.

Der letzte organisierte Widerstand gegen die Herrschaft Roms fand unter Tacfarinas statt, der 24 n. Chr. besiegt wurde, aber die Berber nennen sich nicht umsonst das „freie Volk". Diese Stammeskrieger jenseits des *limes* sind eine ständige Gefahr für die Ausdehnung der römischen Macht. Das Erste, was ein Legionär bei seiner Ankunft am neuen Standort lernen muss, sind Charakter und Einstellung der ansässigen Stämme. Sind sie Garamanten, Lotophagen, Maker oder einer von den paar Dutzend anderen, die an einem Tag friedliche Pferdehändler sein können und am nächsten – dank eines jähen Umschwungs der Stammespolitik – ein blitzschnelles Überfallkommando?

Die Berber sind vor allem ein hochmobiler Feind. Sie sind begnadete Reiter. Tatsächlich reiten die Numider ihre Pferde ohne Sattel und Zügel, haben sie aber dennoch großartig im Griff, während sie beide Hände für anderes frei haben, zum Beispiel spitze Gegenstände auf ihre Feinde schleudern. Der Durchschnittsberber ist außerdem Nomade. Das sorgt oft für Spannungen, wenn zum Beispiel Berber eine Oase erreichen, in der sie schon immer ihr Lager aufgeschlagen haben, und entdecken müssen, dass es jetzt eine blühende römische Siedlung dort gibt. Die natürliche Reaktion besteht darin, die Siedlung zu beseitigen, und an diesem Punkt kommen die Legionäre ins Spiel.

Die Berber haben gelernt, dass ein gut geworfenes *pilum* eine Attacke zu Pferd buchstäblich an einen toten Punkt bringen kann, und sind Experten darin geworden, knapp außerhalb der äußersten *pilum*-Reichweite zu bleiben und ihre eigenen, leichteren Waffen von da aus in die Reihen der Legionäre zu schleudern.

Infolgedessen hat der afrikanische Legionär auf die harte Tour gelernt, geschickt mit einer Schleuder umzugehen. Steinschleudern, die andere Teile der Armee oft verächtlich als Waffe für barbarische Hirtenjungen abtun, sind leicht, gut transportabel, und ihre Munition liegt überall herum und geht nie aus. In geschlossener Formation sind Schleudern schwer einzusetzen, aber wenn eine Schwadron leichte Kavallerie Sie mit einem Hagel von Wurfspießen eindeckt, ist es sowieso eine gute Idee, die Reihen zu öffnen.

Weil die Berber so gut mit Pferden umgehen können, ist die Kavallerie der Legionen und der Auxilia besonders wichtig, und nirgendwo im Reich arbeiten alle Waffengattungen des Militärs so umstandslos zusammen. Da den Berbern die Ausrüstung fehlt, um Festungswälle zu stürmen, haben viele Siedlungen ihre eigene Mini-Zitadelle, und ein Legionär, der gern den Stubenhocker spielt, könnte ein Spezialist für Wartung und Einsatz der dort aufgestellten Artillerie werden. Diese besteht gewöhnlich aus Katapulten, die kleine, orangengroße Steinkugeln abfeuern. Solche Projektile fliegen spielend weiter als die besten Berber-Fernwaffen und können für einige Verwirrung sorgen, wenn sie in eine dichtgeschlossene Truppe von Angreifern einschlagen.

Vielleicht eröffnet sich in Nordafrika gerade eine neue Dimension des Wüstenkriegs durch die Einführung des Kamels aus dem Nahen Osten. *Dromedarii*, die Kamelkavallerie, haben vielverspre-

Gut zu wissen

1. Berberrazzien sind Ihnen näher, als es aussieht.
2. Die Berber betrachten den Pferdeverkauf an Römer als eine Form der ökonomischen Kriegführung.
3. Das Leben in einem Wüstenfort besteht aus ausgedehnten Abschnitten von Langeweile, unterbrochen durch kurze Abschnitte plötzlicher Todesfälle.
4. Gehen Sie nie weit aus dem Haus ohne Sonnenhut und Schleuder.

chende Ergebnisse gegen berittene Berber erzielt, doch es ist nur eine Frage der Zeit, bis die Berber selbst auf Kamelen reiten. Wie diese neue Transportform – die es den Berbern erlauben wird, noch tiefer in die Wüste vorzudringen – die Kriegführung in der Region beeinflussen wird, ist vorerst ungewiss.

Fest steht, dass die Völker Nordafrikas den Römern bis auf Weiteres mit zwei Gesichtern gegenübertreten werden – als friedliche einheimische Kultur mit mehr oder weniger großem römischen Überbau und als wilde Banditen, die wie ein heißer Wind aus der Wüste hereinbrechen und an Roms stetig wachsendem Einfluss rütteln.

Die Daker – die Karpaten sehen und sterben

Die Daker sind schon immer dagewesen – die Griechen um 500 v. Chr. kannten sie als Geten, und schon im 2. Jahrhundert v. Chr. haben sie es mit den römischen Legionen aufgenommen (und verloren). Doch im Lauf der letzten zwei Jahrzehnte sind es die Daker gewesen, die angriffen. Ihre Vorstöße in die bäuerlichen Gebiete Pannoniens haben sich zu kleineren Invasionen ausgewachsen, und mittlerweile sind mehrere Legionen entlang der Donau stationiert, um sie in Schach zu halten. Die VII Claudia, V Macedonica und I Italica haben es richtig satt, mit den Dakereinfällen fertigwerden zu müssen, und noch mehr die XXI Rapax, die 92 n. Chr. von einer Horde sarmatischer Kavallerie praktisch auseinandergenommen wurde – die Sarmaten sind ein Kriegervolk östlich von Dakien und vertragen sich augenblicklich exzellent mit ihren dakischen Nachbarn.

Der letzte Kaiser, der die Zeit und die Mittel hatte, sich mit den Dakern anzulegen, war Domitian in den späten 80er-Jahren n. Chr. Er musste etwas unternehmen, weil der bis dahin jüngste Dakerangriff den Provinzstatthalter Pannoniens getötet und riesige Landwirtschaftsflächen verheert hatte. Die beiden Legionen, die losgeschickt wurden, um die Daker zu erledigen, erzielten gemischte Resultate. Die V Alaudae („die Lerchen") gibt's heute nicht mehr, weil das Gros der Legion und ihr Legat auf Strafexpedition nach Dakien gingen und nie

Sarmatische Lanzenreiter mit Schuppenpanzer (*lorica squamata*), der Arme, Beine, Körper, und Pferde bedeckt. Bloß weil sie normalerweise unverwundbar gegen Geschosse sind, heißt das nicht, dass die sarmatische Kavallerie langsam oder schwerfällig wäre. Zusätzlich haben sie meistens eigene Bogen für den Kampf aus weiter Distanz dabei.

zurückkehrten. Die IV Flavia Felix marschierte ihnen nach und glich das Ergebnis aus, indem sie einen großen, aber teuer erkämpften Sieg erzielte. Trotzdem ist die Dakergefahr alles andere als ausgeräumt.

> [Man wollte verhüten,] dass der Druck von außen sich auf zwei Seiten vermehrte, wenn Daker und Germanen von zwei verschiedenen Seiten [in Italien] einfielen.
>
> Tacitus, *Historien* 3,46,2

Bis vor Kurzem stellten die Daker keine ernsthafte Bedrohung dar, da Bürgerkrieg praktisch ihr Nationalsport war und diese inneren

Streitigkeiten sie auf ihr Königreich innerhalb der Bergkette der Karpaten beschränkt hielten. Leider hat ein dynamischer, kriegerischer Anführer namens Decebalus die Nation geeint. Dieser Mann ist so weitblickend gewesen, Bündnisse mit anderen Völkern wie den Sarmaten zu schließen, und hat sich Rom als Hauptangriffsziel ausgesucht. Mittlerweile stehen die Dinge so, dass man etwas unternehmen muss, und die Legionen marschieren unter Traians persönlicher Führung auf.

Die sarmatischen Verbündeten der Daker sind Reiter, die eine enganliegende Rüstung tragen, welche den Großteil ihres Körpers und auch ihrer Pferde bedeckt. Sie bevorzugen eine lange Lanze für den Nahkampf, haben aber auch Bogen und leichte Reiter für Geplänkel. Die schwere Kavallerie operiert am besten im Schockangriff gegen leicht desorganisierte Infanterie. Ihre Attacken finden wahrscheinlich im Verbund mit dakischer Infanterie statt, die der Aufgabe, für Desorganisation zu sorgen, mehr als gewachsen ist. Legionäre aus anderen Teilen des Imperiums haben vielleicht den gepanzerten Armschutz gesehen, den sich manche dakererfahrene Veteranen als Extraausrüstung zulegen. Er ist wahrscheinlich in Pannonien aufgekommen und ist in dieser Gegend sehr beliebt als Zusatzverteidigung gegen die *falx*, eine Art schwere Sense, die einige Dakerkrieger beidhändig schwingen.

Gegen *falx*-Kämpfer anzutreten braucht einiges an Extratraining, außerdem füllen die Daker ihre Reihen mit einer beachtlichen Zahl konventionellerer Schwerter und Speere auf. Wer gegen Daker kämpft, muss sich außer der Aufgabe, den Tod durch eine dieser Waffen zu vermeiden, nur noch Gedanken um die schweren Keulen und Streitäxte machen, die eine Minderheit bevorzugt (allerdings sollte man anmerken, dass viele Krieger als Alternative zusätzlich Bögen mitführen). Für die Defensive tragen die Daker flache, ovale Schilde in bunten Farben. Schuppenpanzer sind als persönlicher Schutz beliebt, ebenso Kettenpanzer, die teilweise von den Leichen römischer Auxiliare stammen.

Die Tatsache, dass Traian zurzeit zehn Legionen sammelt, um gegen die Daker anzutreten, gibt einen Eindruck von der Gefahr, die dieses Volk für die Nordostprovinzen und die schwer bedrängten

Männer der mösischen und pannonischen Garnisonen darstellt. Jeder, der sich für diesen Feldzug verpflichtet, muss sich auf harte Kämpfe und entweder Ruhm oder Tod (möglicherweise auch beides) einstellen. Zumal sich auf dem anderen Donauufer unter den markanten dakischen Drachenbannern gerade Zehntausende Krieger mit denselben Aussichten sammeln …

Gut zu wissen

1. Es gibt eine Unmenge Daker.
2. Sie sind wilde Krieger, die durchaus in der Lage sind, eine Legion zu zerlegen.
3. Sie sind gut geführt, gut bewaffnet, gut versorgt und hochmotiviert.
4. Sie haben durchdachte Rüstungen und Befestigungen, und die Karpaten (die sie genau kennen) sind gut zu verteidigen.
5. Sie sind sehr viele.

Dem aufmerksamen Beobachter wird aufgefallen sein, dass sich der erste und der letzte Punkt zu wiederholen scheinen; das kommt aber daher, dass bei 1. nur die Daker gezählt sind, während 5. ihre sarmatischen Verbündeten mit einschließt.

Die Parther – Krieger im Sattel

Neben jeder römischen Legion, die nach Osten zieht, marschieren die Geister von 20 000 Legionären, die die Parther 53 v. Chr. in der Schlacht bei Carrhae niedermachten. Die Römer verloren nicht nur Zehntausende von Soldaten, sondern auch ihren General, den Konsul Marcus Licinius Crassus (und seinen Sohn), ihre Adler sowie rund 5000 Mann, die gefangen genommen und zum Großteil nie mehr gesehen wurden. Seit dieser Schlacht hat niemand die Parther mehr auf die leichte Schulter genommen. Abgesehen von ihren militärischen

Der Feind nahm die Hüllen von seinen Waffen und erschien glänzend in Helmen und Brustpanzern, deren margianischer Stahl scharf und hell glitzerte, und ihre Pferde waren mit Bronze- und Stahlplatten gepanzert.

Plutarch, *Leben des Crassus* 24

Qualitäten scheinen sie ihre Gegner mit einem bösen Zauber zu belegen. Caesar wurde ermordet, als er sich gerade anschickte, zu einem Partherfeldzug aufzubrechen. Marcus Antonius, der Parthien tatsächlich angriff, kam mit eingekniffenem Schwanz und einer Armee, die tüchtig Prügel bezogen hatte, zurück. Bald darauf unterlag er in einem Bürgerkrieg seinem Rivalen, dem späteren Kaiser Augustus.

Auf die römischen Invasionen haben die Parther mit ein paar eigenen reagiert, besonders mit riesigen Einfällen nach Syrien und Judäa, die erst nach erbitterten Kämpfen abgeschlagen wurden. In den letzten Jahrzehnten hat an den Ufern des Euphrat, der als Frontlinie zwischen den Reichen des Ostens und des Westens dient, ein brüchiger Friede geherrscht. Doch die Gerüchteküche auf dem Palatin will wissen, dass, wenn in Dakien alles gutgeht, die Parther als Nächste auf der Liste der kaiserlichen Kriegspläne stehen.

Parthien ist ein Riesenreich, dessen Hauptstadt Ktesiphon nahe dem alten Babylon liegt und dessen Hinterland sich bis zu den Ausläufern des Himalaya erstreckt. Dieses vielfältige und allgemein raue Gebiet bringt eine entsprechende Ausbeute an vielfältigen, rauen Kriegern hervor – ein Umstand, der Neulinge in der Region immer wieder verblüfft, die noch an den bequemen Mythos vom „dekadenten Orient“ glauben.

Solche Naivität hält sich in der Regel nur bis zur ersten parthischen Kavallerieattacke. Die Armee der Parther ist nach dem Lehnswesen organisiert, und ihre Kriegeradligen führen sie von der ersten Reihe aus. Diese Edlen sind vorzügliche Reiter, da sie einen Großteil ihres Lebens im Sattel verbringen, oft auf Turkmenenpferden, einer für Größe und Ausdauer bekannten Rasse.

> Dann ging der Feind ans Werk. Seine leichte Kavallerie ritt in Kreisen die römischen Flanken ab und verfeuerte Pfeile, während die Panzerreiter im Zentrum die langen Speere gebrauchten und die Römer auf immer dichterem Raum zusammentrieben, nur einige nicht, die beschlossen, dem Tod durch die Pfeilschüsse zu entgehen, indem sie verzweifelt ausbrachen und den Feind angriffen. Diese bewirkten wenig, sie fanden nur einen schnellen Tod durch große, tödliche Wunden. Die parthische Lanze, die sie in die Pferde stießen, ist ja schwer mit Stahl bekleidet und hatte oft genug Wucht, um zwei Männer auf einmal glatt zu durchbohren.
>
> PLUTARCH, *Leben des Crassus* 27

Die Parther besitzen eine Form von Kavallerie, die sich sonst nirgends bei Roms Feinden findet. Es sind die *cataphractarii* – superschwere Kavallerie, deren Reiter von Kopf bis Fuß gepanzert sind, während die Pferde ebenfalls unter einer Schicht Kettenpanzer stecken. Diese Reiter führen einen *contus* – das ist im Grunde ein Schwert an der Spitze einer 3,30 m langen Lanze –, mit dem sie einen Feind aufspießen, noch ehe der Unglückliche sich auch nur überlegt hat, wie er seinen gut geschützten Widersacher verwunden könnte. Wenn Kataphrakte Sie niederreiten – und es braucht einiges, um sie aufzuhalten –, halten Sie das andere Ende des *contus* im Auge. Das hat ebenfalls eine scharfe Spitze, sodass der Reiter einen am Boden Liegenden erledigen kann, indem er die Lanze senkrecht stellt und nach unten stößt. Die gute Nachricht: Unter dem richtigen General lässt sich sogar ein massier-

> Jedes Mädchen soll sich richtig einschätzen und eine zu ihrem Körper passende Stellung aussuchen: Die gleiche Position ist nicht die richtige für alle [...] Auch du, deren Bauch Lucina (die Göttin der Geburt) mit Schwangerschaftsstreifen gezeichnet hat, dreh dein Reittier um wie der schnelle Parther.
>
> OVID, *Liebeskunst* 3,771f., 785f.

ter Kataphraktenangriff stoppen, so geschehen bei der Schlacht am Taurus 39 v. Chr. Die schlechte Nachricht: Dafür brauchte man elf Legionen.

Von den Kataphrakten abgesehen, trägt die restliche schwere Partherkavallerie leichtere Rüstung und ist entsprechend beweglicher. Die Lanze ist auch ihre Lieblingswaffe, doch selbst zu Pferde ist der Durchschnittsparther zusätzlich ein gefährlicher Schwertkämpfer.

Rekonstruktion eines Reflexbogens im entspannten (gestrichelt) und gespannnten Zustand

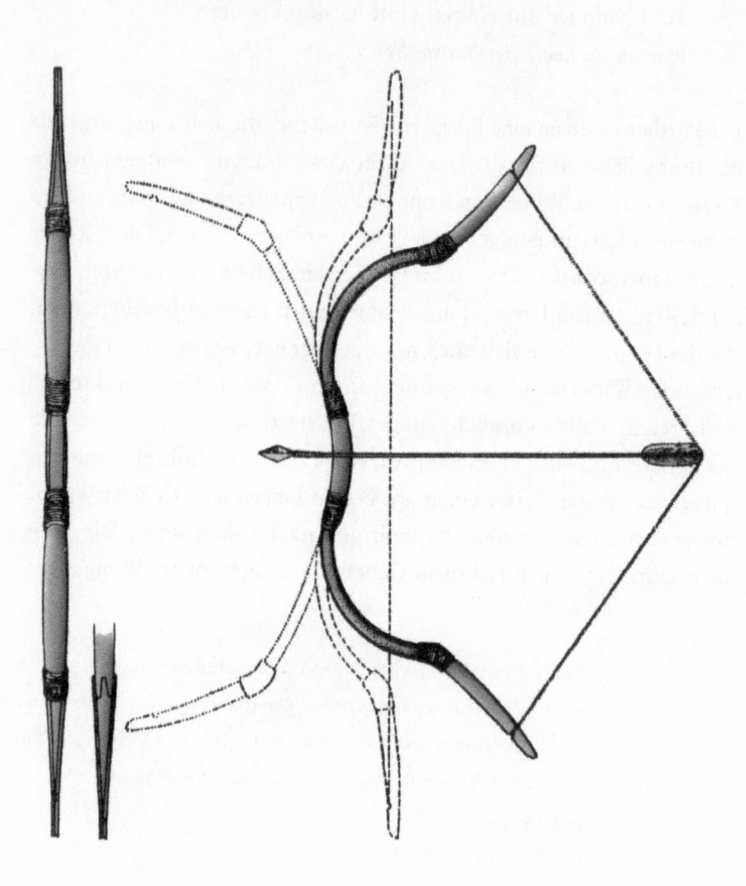

Berittener parthischer Bogenschütze. Der berühmte „parthische Schuss", der es dem Reiter erlaubt, in voller Flucht vor Angreifern Pfeile zu verfeuern, bedeutet, dass die Parther Sie buchstäblich von hinten und vorn erwischen können.

Während die Kataphrakte und die schwere Kavallerie einen das Fürchten lehren können, sind die berittenen Schützen lästig und tödlich zugleich. Die Parther verwenden einen doppelt gekrümmten Kompositbogen, das heißt einen Bogen, der sich in die Gegenrichtung krümmt, wenn ihn die Sehne nicht spannt. Komposit ist er, weil er aus Horn und Fasern besteht, die miteinander verleimt sind, mit dem Ergebnis, dass er an Reichweite die meisten römischen Bögen übertrifft, selbst wenn der römische Schütze zu Fuß kämpft. Ein geräumiger Köcher hängt am Sattel des berittenen Schützen und fasst einen großen Vorrat an Pfeilen, häufig auch einen Ersatzbogen.

Der berittene Schütze hat den legendären „parthischen Schuss" zu bieten, soll heißen, er kann, während er das Weite sucht, über den Schwanz seines Pferdes hinwegschießen. Die übliche Technik der Parther besteht darin, dass ganze Horden dieser berittenen Schützen einem vorrückenden Feind mit Pfeilschwärmen zusetzen und ihn allmählich so mürbe machen, dass er verwundbar für eine energische Kavallerieattacke wird. (Für genau diesen Fall hat der Bogenschütze außerdem ein Schwert im Köcher.) Wer einer parthischen Streitmacht gegenübersteht, hat also die undankbare Wahl, seine Reihen entweder zu öffnen, womit er zwar kein so gutes Ziel für die berittenen Bogenschützen abgibt, aber dafür leichte Beute für eine Kataphraktenattacke, oder sie zu schließen, die Kataphrakten abzuweisen und sich dafür von den Bogenschützen niedermetzeln zu lassen.

Schließlich wäre da noch das parthische Infanterieaufgebot. Auch das sind zähe Kämpfer, aber sie lassen sich leicht besiegen, wenn die Legionäre in ihre Reihen einbrechen können. Das liegt daran, dass wie bei der Kavallerie die Hauptwaffe der meisten Aufgebotenen der Bogen ist. Der Trick besteht darin, dass eine angreifende Legion noch genug Überlebende haben muss, wenn sie die feindlichen Reihen erreicht, sodass sie, falls sie es bis dahin schafft, noch etwas gegen die Infanteristen ausrichten kann.

Gut zu wissen

1. Parthische Bogenschützen zu Fuß sind ein harter Brocken.
2. Der Kampf gegen Schützen zu Fuß ist attraktiver als der gegen berittene Bogenschützen.
3. Der Kampf gegen berittene Bogenschützen ist attraktiver als der gegen die Kataphrakte.
4. Bauen Sie nicht darauf, dass den Parthern die Pfeile ausgehen. Sie haben Kamelkarawanen, die Nachschub bringen.
5. Versuchen Sie im Sommer die Kataphrakte den ganzen Tag auf dem Schlachtfeld zu halten. Wenn es Ihnen schon in der Rüstung zu heiß ist, stellen Sie sich vor, wie die sich wohl fühlen.

De re militari

- Tiw, der germanische Kriegsgott, nimmt Opfer an (gern am Dienstag), und Frey macht es freitags ebenso.
- Um unangenehme Zugluft zu vermeiden, tragen einige Soldaten, die im Norden kämpfen, angeblich eine Hose unter der Tunika.
- Die Römer benutzen den Begriff „Pikte" als Allzweckbezeichnung für jeden, der im Norden Britanniens lebt.
- Claudius, Vespasian, Septimius Severus und Konstantin zählen zu den früheren oder künftigen Kaisern, die Britannien aus eigener Anschauung kennen.
- Die Auslöschung der V Alaudae durch die Daker war das Ende für eine jener Einheiten, die ihre Kapitulation gegenüber Civilis 70 n. Chr. und das folgende Massaker in einem germanischen Hinterhalt überlebt hatten.
- Aus Dakien wird einmal Rumänien werden, dessen Sprache dem Lateinischen weiterhin sehr nahestehen wird.
- *Falx* bedeutet ursprünglich bloß „Sichel". Die Daker scheinen Modelle zu haben, die man entweder mit einer oder mit beiden Händen verwenden kann.
- Traian wird ein Buch über seinen Dakerfeldzug schreiben, aber es wird der Nachwelt nicht überliefert werden.
- Wenn die Römer später die Kataphrakte übernehmen, werden die Soldaten die Rundumpanzer als *clibanarii* („Öfen") bezeichnen.
- Wegen der Überlegenheit des parthischen Bogens über den römischen benutzen die meisten römischen Auxiliareinheiten mittlerweile die Partherversion.

VII Das Leben im Lager

Nulli milites ad bellum parati approbabuntur a praefecto scrutanti sed nulli ad praefectum scrutantem parati approbabuntur in bello.
Kein kampfbereiter Soldat übersteht eine Inspektion.
Kein inspektionsbereiter Soldat übersteht einen Kampf.

Die *Pax Romana* aufrechtzuerhalten, ist für die Legionen kein Vollzeitjob. Meistens reicht es, dass es sie überhaupt gibt. Das erlaubt es der römischen Armee, mit einem eleganten Minimum an Aufwand den Frieden zu sichern. Eine strategisch platzierte Legion steht an einem Punkt, von dem aus sie mehrere potenzielle Feinde auf einmal in Schach halten kann. Sollte sie tatsächlich gegen einen dieser Feinde ausrücken müssen, ist niemand mehr da, um die anderen zurückzuhalten, und die Lage kann richtig übel werden. Dafür können die Römer aber garantieren, dass von den ursprünglichen Unruhestiftern nichts übrigbleibt als verkohlte, geborstene Ziegelsteine, wo einst Städte standen, und lange Reihen von Kreuzen, auf denen die Krähen sitzen, wo man die Ex-Bürger dieser Städte angenagelt hat. Folgerichtig sind Gewaltausbrüche selten. Die Bürger bleiben friedlich in ihren Städten und die Legionäre bleiben ruhig in ihrem Lager.

Weil sich ein Legionär darauf einstellen kann, so ein Lager jahre- oder gar jahrzehntelang sein Zuhause zu nennen, lohnt sich ein näherer Blick darauf. Zuerst muss man anmerken, dass ständige Legionslager keine Festungen sind. Weder beim Bau noch bei der Ortswahl

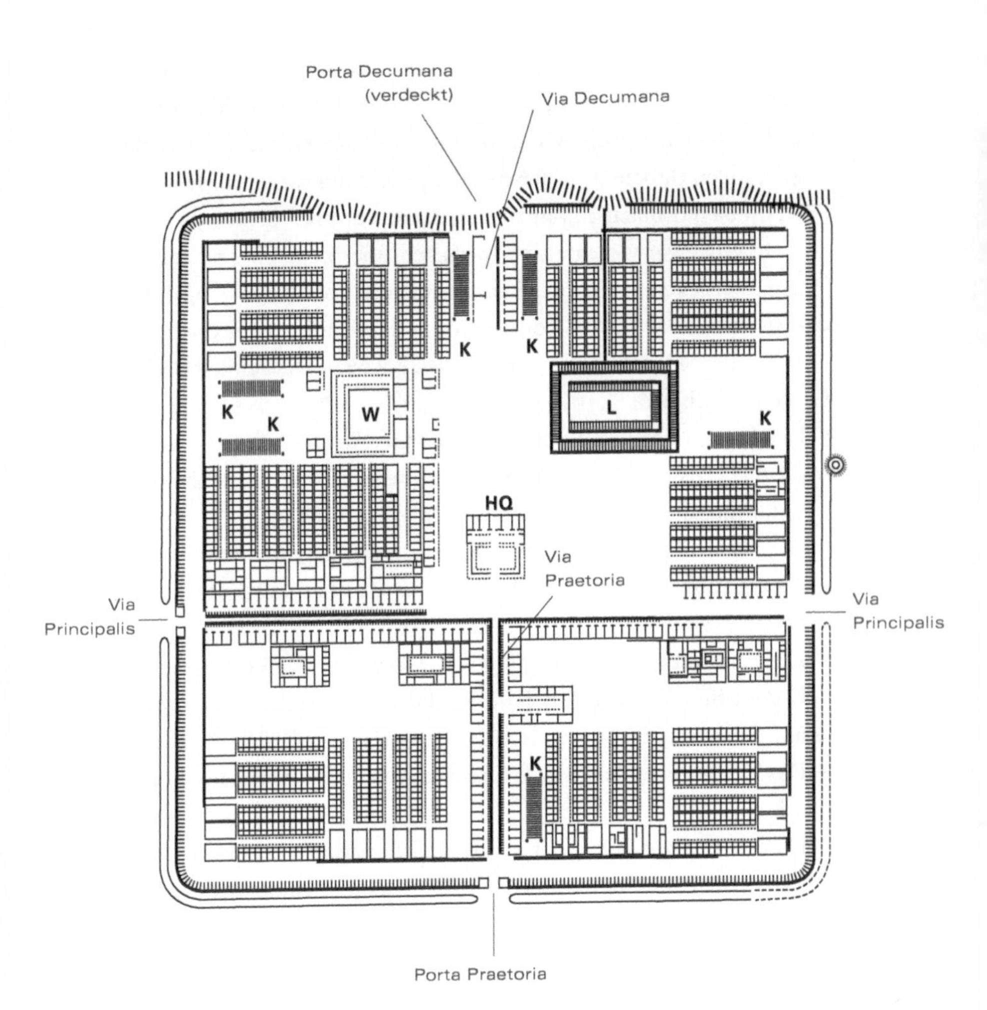

Legionsstützpunkt Inchtuthil in Perthshire im heutigen Schottland, Bauzeit 83–87 n. Chr. Beachten Sie die Freiflächen, die für Ställe, Werkstätten und Lazarette verfügbar sind oder als Paradeplatz leer bleiben könnten. Ein Kennzeichen von Inchtuthil ist, dass sich durch die Geländeverhältnisse die Anlage der Porta Decumana schwierig gestaltet hat.

K Kornspeicher (*horrea*)
HQ Hauptquartier (*principia*)
L Lazarett (*valetudinarium*)
W Werkstatt (*fabrica*)

für das Lager ist die Verteidigung ein Hauptgesichtspunkt. Schließlich steckt ja eine *Legion* drin, und Legionen im 1. Jahrhundert n. Chr. brauchen keinen Schutz – vor nichts und niemandem. Die Mauern, die es gibt, sollen Unbefugte draußen halten und dafür sorgen, dass Legionäre, die sich drinnen aufhalten sollen, auch drinnen bleiben.

Es gibt zwar verschiedene Spielarten, aber wenn Sie ein Legionslager kennen, kennen Sie alle. Hier ist ein kurzer Stadtrundgang durch das Standardmodell, das jeder Legionär auswendig kennt (nicht zuletzt, weil er jeden Tag eins bauen muss, solange er durch feindliches Gebiet marschiert).

- Das Lager bedeckt an die 20–25 Hektar. Für die (seltenen) Lager, die mehr als eine Legion haben (zum Beispiel Vetera am Rhein im 1. Jahrhundert n. Chr.) bitte mit mehr Platz rechnen.
- Die Mauern bilden ein kurzes Rechteck mit abgerundeten Ecken.
- An gegenüberliegenden Stellen der Längsseiten dieses Rechtecks befinden sich Tore.
- Zwischen diesen Toren verläuft eine Straße, die Via Principalis.
- In der Mitte des Lagers trifft die Via Principalis in einer T-Kreuzung auf die zweite Hauptstraße eines Römerlagers, die Via Praetoria.
- Das Haupttor ist die Porta Praetoria in einer Schmalseite des Rechtecks.
- Die Via Praetoria läuft von der Porta Praetoria zur Via Principalis.
- Hinter dem Verwaltungszentrum läuft eine kleinere Straße zum Hinterausgang in der anderen Schmalseite.
- Diese Straße und ihr Tor heißen Via Decumana bzw. Porta Decumana.

Das Herz des Lagers sind die *principia*, und das Herz der *principia* ist das *sacellum*, das Heiligtum, in dem der Legionsadler steht. Andere Teile der *principia* enthalten Verwaltungsbüros, und unter ihnen liegt meistens ein Keller, der den Legionsschatz aufnimmt (und es gibt nur wenige sicherere Orte auf der Welt, um das Ersparte eines Legionärs zu deponieren). Der Legat dieser Legion lebt nicht in den *principia*, sondern im *praetorium*, bei dem es sich grob gesagt um eine benachbarte Luxusvilla handelt. Die Häuser der Militärtribunen und des

Lagerpräfekten säumen die Via Principalis, während die Legionärskasernen in Reihen näher am Mauerring untergebracht sind.

Diese Legionärskasernen bilden die eigentlichen Lagermauern, denn jeder Angreifer muss sich erst durch sie hindurchkämpfen, ehe er die anderen Gebäude des Lagers erreicht – die Werkstätten, Ställe, Bäder und Lazarette, die rund um den Mittelpunkt liegen. Es gibt ungefähr 64 Kasernengebäude für Legionäre, von denen jedes rund 80 Mann und deren Offiziere aufnimmt. Jeder Legionär kann sich darauf gefasst machen, sieben andere aus nächster Nähe kennenzulernen – das ist sein *contubernium*, die Gruppe, mit der er im Feld ein Zelt und in der Garnison zwei kleine Räume von je rund 4,5 m² teilt. Die Kasernenbauten sind lange Blöcke mit einer Veranda hinter Säulen, von der aus sich seitlich Türen zu den Räumen öffnen. Üblicherweise

Kasernen. Das Leben in den dichtgepackten Reihen der Legionärsunterkünfte kann einem unerträglich beengt vorkommen, aber das Maß an Ellbogenfreiheit ist geradezu verschwenderisch, verglichen mit einigen der dichter besiedelten Viertel einer römischen Stadt. Beachten Sie die hochmodernen, untypischen Zinnen auf Mauern und Turm im Hintergrund.

dient einer der kleinen Räume als Schlafraum und der andere als Wohnzimmer und Vorratskammer. Für antike Unterbringungsstandards ist das gar nicht so schlecht. Wenn Sie viel Glück haben, könnten Ihre Räume sogar Glasfenster haben!

Dienst

Knapp über 9 m² klingt nach wenig, wenn acht Mann darin leben sollen, und da ist es nur gut, dass sie das normalerweise nicht machen. Erst einmal sind die Legionen in der Regel unter ihrer Sollstärke und zweitens ist man in einigen Lagern tolerant, wenn Legionäre ab und zu eine Nacht auf Ausgang verbringen. Heiraten dürfen Legionäre nicht, aber viele gehen langfristige Bindungen mit Frauen aus benachbarten Städten ein. Die Behörden dulden das, nicht zuletzt, weil zahlreiche Kinder aus solchen Beziehungen später selbst Legionäre werden.

Hinzu kommt die Tatsache, dass für einen Römer – nicht nur für Legionäre – Privatsphäre eine ziemlich exotische Vorstellung ist. Die Römer verbringen, vom Schlafen abgesehen, wenig Zeit in ihren Zimmern. Essen, baden und Bekannte treffen tut man an öffentlichen Plätzen, und sogar der Gang zur Toilette ist eine Gelegenheit, mit Freunden zu plaudern, sich über die Qualität der letzten Mahlzeit zu beschweren und den aktuellen Klatsch zu erfahren.

Außerdem gibt es vielleicht mehr Bewegungsfreiheit in der Kaserne, als die Architekten vorgesehen haben, weil ein Großteil der Legion nicht da ist. Da Legionäre so nützlich für die friedliche Abwicklung diverser Provinzangelegenheiten sind, sind viele von ihnen nach auswärts abkommandiert. Zu den Ablenkungen, auf die man sich im Außendienst freuen kann, gehören:

- Geleitschutz für durchreisende Würdenträger, die die Provinz besuchen,
- Besetzung von Zollstellen und Kontrollposten an den Straßen,
- Schufterei mit Meißel und Hacke beim Bau und bei der Reparatur besagter Straßen,
- Bewachung der Dörfer vor Banditen und Barbarenüberfällen,

In jeder Armee der Welt sind die Latrinen der beste Platz, um ein Päuschen zu machen und mit dem Tratsch auf den neuesten Stand zu kommen; die römische Armee ist da keine Ausnahme. Beachten Sie den Schwamm am Stock, der die gleiche Funktion wie das Klopapier [oder die Klobürste? A.d.Ü.] späterer Zeiten erfüllt. Bitte vor und nach Gebrauch gründlich im Eimer ausspülen.

- Eskorte und Schutz von Kaufleuten auf gefährlichen Routen,
- Hilfeleistungen beim Städtebau,
- Abkommandierung mit einer detachierten *vexillatio* („kleine Einheit von Legionären"), um einer anderen Legion auf ihrem Feldzug zu helfen.

Diese häufigen Abwesenheitszeiten bedeuten, dass das Lager für manche Legionäre nur ein Ausgangspunkt ist, wohin man in unregelmäßigen Abständen zurückkehrt. Das illustriert zum Beispiel folgende Personalakte des T. Flavius Celer aus der III Cyrenaica in den frühen 80er-Jahren n. Chr.:

Abreise zum Kornspeicher in Neapolis (Februar 80)
Rückkehr
Zur Flusswache abgereist (81?)
Rückkehr
Dienst beim Getreidekommando (Juni 83)
Rückkehr
R. O. Fink, *Roman Military Records on Papyrus* Nr. 10, S. 118

Die Legion ist ein Sammelbecken gelernter Spezialisten vom Bauarbeiter über den Veterinär bis zur Bürokraft. Für Regierungsvertreter, die solche Leute brauchen, ist es nicht unüblich, sie sich in erster Linie von der Legion kommen zu lassen. Der Legionslegat, der ja selbst ein Politiker ist, schickt sie ihnen normalerweise gern, denn das ist Teil des Austauschs von Gefälligkeiten, der die Währung des römischen Soziallebens bildet. Den Legionären ist es auch recht, denn in der Regel ist jede Pause vom Legionsbetrieb und jeder Ausbruch aus dem alltäglichen Trott eine Verbesserung (abgesehen von den Bauarbeiten).

Für einen spezialisierten *immunis*, ob er nun Sanitäter, Pferdepfleger oder Schreiber ist, bildet die Legion einfach seinen Arbeitsplatz, an dem er morgens erscheint und seinen Job macht, bis es dunkel wird. Die gelegentlichen Einbrüche des Soldatenlebens in dieses

Die Buchführung einer Legion – ob sie nun Befehle, Dienstpflichten und Finanzen betrifft – wird mit peinlicher Genauigkeit erledigt, die jene der Getreideversorgung oder die zivilen Geschäftsbücher übertrifft. Sogar in Friedenszeiten übernehmen die Soldaten aller Zenturien und *contubernia* ihren Teil an Wach- und Vorposten sowie am Streifendienst. Um zu verhindern, dass zu viele Aufgaben ungerechterweise auf einen Mann entfallen und andere zu gut wegkommen, werden die Pflichten jedes Mannes in Registern vermerkt. Wann jemand Urlaub bekommt und wie lange, hält man ebenfalls im Register fest.

Vegetius, *Das Militärwesen* 2,19

friedliche Einerlei sind bloß Ablenkungen, für welche die Sicherheit des alles überwölbenden Militärapparats entschädigt, der eine geordnete Tätigkeit, geregelte Mahlzeiten, medizinische Versorgung und die Rente garantiert.

Ungefähr dreimal pro Monat lässt jeder in der Legion seine täglichen Pflichten liegen und geht auf einen Ausflug, den man eine *ambulatura* nennt. Die gesamte Legion marschiert in Schlachtordnung auf, zusammen mit der Kavallerie. Die Legion rückt dann rund 15 km vom Lager weg und wechselt zwischen normalem Marschtempo und Laufschritt, während die Kavalleristen Geleitdienst, Kleinkrieg und Scheinattacken üben. Nach Abschluss dieses Spaziergangs schlägt die Legion eine heftige Schlacht gegen einen unsichtbaren Feind, indem sie die Schlachtreihe bildet, angreift (dem Übungseffekt zuliebe meistens bergauf) und sich anschließend sammelt. Nach Formationswechseln vom Karree über die Linie zum Keil ist die Übung abgeschlossen und die Legion kehrt ins Lager zurück, wobei die Offiziere ihre Männer antreiben, noch schneller zurück- als hinzukommen.

So fängt der Tag an

Der Tag eines Legionärs geht früh los. Richten Sie sich darauf ein, vor dem Hahnenkrähen auf den Füßen zu sein, Ihr Zimmer aufgeräumt und sich selbst in guten Zustand gebracht zu haben.

Sie beginnen den Tag mit einer leichten Mahlzeit (wahrscheinlich Aufschnitt und Käse), die unter den wachsamen Augen eines Militärtribuns zubereitet worden ist. Er muss sicherstellen, dass das Essen, das an die Legionäre ausgeteilt wird, eine angemessene Qualität aufweist. Denn es ist nichts Ungewöhnliches, dass die Lieferanten versuchen, mit Bestechungen minderwertige Rationen loszuwerden, und der Job des Tribuns ist, das zu verhindern.

Antreten zum Morgenappell: Das ist eines der wichtigsten Ereignisse des Tages, denn jetzt werden etwaige wichtige Bekanntmachungen verlesen, etwa Briefe vom Statthalter oder vom Kaiser. Der Tagesbefehl des Präfekten wird ausgegeben und die Anwesenheitsliste

Soldaten beladen einen Flusskahn mit Vorräten. Wer nicht mit dem Legionsleben vertraut ist, wundert sich oft, wieviel Zeit ein Legionär mit harter Arbeit wie Schleppen und Graben verbringt, wie wenig von seiner Karriere dagegen das echte Leute-Umbringen ausmacht.

durchgegangen. Man gibt die Parole bekannt und weist denen, die aus dem Lager abkommandiert werden, ihre Pflichten zu.

Tägliche Pflichten

Sobald der große Appell vorbei ist, wegtreten und ab zu einem kleineren Appell. Das kann ein besonderer Anlass sein, zum Beispiel die Musterung der Kranken oder eine Strafuntersuchung, aber auch eine ganz normale Inspektion durch den Zenturio, bevor der die Tagesdienste verteilt.

Wachdienst: Wenn Sie mit Wacheschieben dran sind, melden Sie sich beim *optio* zur Inspektion und stellen Sie sich auf einen einigermaßen langweiligen Morgen ein. Es gibt zwei Wachen am Tag – wie interessant die sind oder auch nicht, hängt davon ab, wohin Sie eingeteilt sind. Wachdienst füllt einen guten Teil der Zeit im Lager aus. Es gibt Wachen an jedem Tor, Wachen auf den Wällen, Wachen vor Lagerhäusern und Kornspeichern, Wachen im Krankenrevier. Andere versehen ihren Dienst in den *principia* und beim *praetorium* (wenn Sie hier eingesetzt sind, muss alles blitzen!), während wieder andere den Präfekten und den Offizier vom Dienst auf seinem Rundgang begleiten.

Arbeitskommandos: Arbeitsdienst ist im Grunde die Instandhaltung des Lagers. Das kann in leichten Aufgaben wie Fegen oder Hilfsarbeiten im Magazin bestehen, aber auch in harter Arbeit wie Heizen im Bad und Ställe- oder Latrinenputzen. Welchen dieser Dienste man zugeteilt bekommt und wie oft, hängt vom vorgesetzten Zenturio ab. Üblicherweise kann man das Wohlwollen des Zenturio mit einer klug bemessenen Summe sicherstellen – als Gegenleistung gibt es leichtere Dienste. Während manche Leute sich über die Ungerechtigkeit dieses Systems ereifern, finden sich andere damit ab, dass es dem Soldaten die Wahl zwischen einem einfachen Leben und mehr Geld für den Ruhestand lässt, solange der Zenturio sich mit seinen Forderungen zurückhält. Einer muss schließlich die Drecksarbeit machen, und wenn Sie den Zenturio bezahlen, um sie zu vermeiden, bezahlen Sie letztendlich einen Ihrer Kameraden, damit er sie erledigt.

Exerzieren und Drill: Dem entgeht keiner. Legionäre haben Meister ihres Faches zu sein, und das Training hört nicht einfach auf, wenn der Rekrut erst einmal die Anfänge des Schwertkampfes und

> Mitten im Frieden sind die Soldaten auf Manöver unterwegs, errichten Befestigungen gegen nichtexistente Feinde, mühen sich mit überflüssiger Arbeit ab, damit sie der Anstrengung, die nötig ist, gewachsen sind.
>
> Seneca, *Briefe an Lucilius* 18,6

Speerwerfens bewältigt hat. Nach dem Morgenappell reicht dem Zenturio ein Wort, um eine Einheit zum Exerzieren zu schicken.

Campus bedeutet einen Tag im freien Feld, vielleicht, um das Marschieren und den Formationskampf zu üben oder mit einer anderen Einheit Scheingefechte auszutragen. Eventuell wird die Einheit weiter vom Lager weggeführt, wo Platz genug ist, um das Errichten von Erdbefestigungen zu üben und die Stellung anschließend gegen eine andere Einheit zu halten, die versuchen wird, einen aus der neu errichteten Position zu vertreiben. Weil man von allen Legionären erwartet, dass sie schwimmen können, erwartet Sie in regelmäßigen Abständen ein Sprung in die nächste offene Wasserfläche.

Basilica bedeutet einen Tag in der Übungshalle, und *ludus* meint Training im Amphitheater. Je nach Bauart des Stützpunkts trainiert der Legionär entweder in der Halle oder im Amphitheater in voller Rüstung. Dabei handelt es sich zum Beispiel um noch mehr Schwerttraining gegen unseren alten Freund, den Holzpfahl, um Laufen im Kreis (im Sturmschritt), den Sprung über Gräben mit allen Waffen oder um ganz allgemeine Übungen, etwa, um herauszukriegen, wie schnell ein Soldat in Tunika für den Fall eines plötzlichen Alarms seinen kompletten Kampfanzug anlegen kann.

Abendessen

Während die meisten Soldaten im Dienst sind, helfen andere dabei, die Mahlzeit am späten Nachmittag vorzubereiten, die den Legionär hauptsächlich über den Tag bringt. In manchen Gegenden ist es eines der besseren und aufregendsten Arbeitskommandos, tagsüber einer Jagdgruppe zugeteilt zu werden, die frisches Wild – Geflügel oder Wildschwein – auf den Tisch der Kameraden bringen soll.

Alles in allem zählen Legionäre im Lager zu den gut genährten Bürgern des Reiches. Je nach Herkunft der Mehrheit seiner Legionäre achtet der Kommandeur darauf, die Männer mit Gütern wie Wein oder der pikanten (je nach Geschmack auch stinkigen) Garum-Fischsauce zu beliefern – die Italiker lieben sie, aber man muss sie von weither holen. Fleisch, Käse, Brot und Bier sind allesamt Grundbestandteile der Legionärskost. Schweinefleisch ist die gängigste Fleischsorte, aber was Sie vorgesetzt bekommen, hängt letztlich davon ab, was örtlich verfügbar ist.

> Bitte, Herr, gib Anweisungen, was Du willst, dass wir morgen tun sollen. Sollen wir alle mit dem Feldzeichen zurückkehren oder nur die Hälfte? [...] Meine Kameraden haben kein Bier. Bitte veranlasse, dass man welches schickt.
> (Brief des Kavalleriedekurios Masc(u)lus im britischen Vindolanda)
> *Tabulae Vindolandenses* III 628

Bis zum Schlafengehen

Für alle, die um die Nachtwache herumgekommen sind, dient der Abend hauptsächlich dazu, ihre Ausrüstung für noch eine der endlosen Inspektionen klarzumachen, mit denen die Offiziere so gern die niederen Dienstgrade quälen. Weil Gegenstände wie das Essgeschirr in tadellosem Zustand sein müssen, ist es keine schlechte Idee, ein Kochgeschirr für Inspektionen vorrätig zu haben und ein anderes, aus dem Sie tatsächlich essen. Der Abend ist auch die Zeit, um Post oder Päckchen aus der Heimat einzusammeln. Eine Alternative wäre ein Ausflug ins Bad oder – wenn das erlaubt ist – ein Bummel außerhalb des Lagers.

> Ich habe dir [...] Paar Socken aus Sattua geschickt, zwei Paar Sandalen und zwei Unterhosen [...] Grüße [...] Elpis [...] Tetricus und all deine Stubenkameraden, mit denen du, so bete ich, in bester Verfassung leben mögest. (Brief an einen unbekannten Soldaten)
> *Tabulae Vindolandenses* II 346

Freizeit

Während des Großteils seiner dienstfreien Zeit ist ein Legionär beim Herumlungern im Bad zu finden, das nicht einfach ein Ort zum Saubermachen ist: Man lässt sich auch die Verspannungen von der Schinderei des Tages aus den Muskeln massieren, würfelt eine Runde mit Freunden, plaudert und trinkt Bier oder Wein – zu einem Preis, der vermutlich deutlich billiger ist als der in den Kneipen vor dem Lager.

Diese Kneipen liegen in der Vorstadt des Lagers (*canabae*), die ganz von selber neben jedem Militärstützpunkt entsteht, um dessen Bedürfnisse zu erfüllen, einschließlich des offenbar unstillbaren Dranges aller Soldaten, sich ihr Geld an einem möglichst unappetitlichen Ort aus der Tasche ziehen zu lassen. Ein dienstfreier Soldat braucht mit den Worten eines antiken Autors *balnea, vina, venus* oder Wein, Weib und Wanne, wenn auch nicht notwendigerweise in dieser Reihenfolge. Weil Soldaten normalerweise gut bezahlt werden und eine Gelegenheit suchen, nach den Anstrengungen des Tages Dampf abzulassen, strengt sich die örtliche Unterhaltungsindustrie sehr an, um den Soldaten die Last ihrer Geldbeutel zu erleichtern.

Die Liebesbeziehungen mit dem weiblichen Teil der Zivilbevölkerung variieren von Körperkontakten, die nach Stundentarif bezahlt werden, bis zu Lebensgefährtinnen (*focariae*), denen zur Ehefrau nur der Name fehlt. Natürlich sind die Ablenkungen, die das Dorf zu bieten hat, für die Truppe besonders anziehend, und wenn es nur deswegen wäre, weil sie außerhalb des Lagers liegen. Doch die Obrigkeit tut, was sie kann, um Konkurrenz in Gestalt offizieller Vergnügungen anzubieten.

Tatsächlich existiert eine Methode, die politische Stimmung zuhause in Rom einzuschätzen: im Beobachten, wie viel Kosten und Mühen die kaiserlichen Behörden bereit sind, auf die Unterhaltung der Armee zu verwenden, obwohl der Legionslegat oder der Statthalter auch von sich aus für weitere Unterhaltungen sorgen können.

Zu den Veranstaltungen, die eine Legion im Lager bei Laune halten können, zählten der Mimus und das Schauspiel. Beide sind beliebt,

Dieses Geschenk für die Veteranen und die römischen Bürger, die in den *canabae* der legio V Macedonica leben, stifteten [...] Tuccius Aelianus [...] und Marcus Ulpius Leontius.

(Inschrift aus Niedermösien) ILS 2474

besonders weil die Schauspielerinnen mit ihren Reizen freigebig umgehen. Bevor der Legionär sich falsche Hoffnungen macht, sollte er sich allerdings daran erinnern, dass sich ein Zenturio niemals hinten anstellt.

Gladiatorenspiele sind ebenfalls gern gesehen, auch wenn die Teilnehmer von der Aussicht, vor einem so sachkundigen Publikum aufzutreten, leicht aus der Fassung gebracht werden können. Ersatzweise kann die Legion ihre eigene Unterhaltung in Form von Ringkämpfen zwischen den Einheiten und militärischen Wettkämpfen organisieren.

Obwohl ein Legionär eine ganz beachtliche Menge Freizeit hat (so viel, dass man von Legionären im Osten gehört hat, die ihre freien Stunden und Mittel genutzt haben, um private Unternehmen zu gründen) – wonach die meisten Soldaten bald hungern, ist die Erfahrung, wieder einmal ein Zivilist auf Zeit zu sein. Dafür braucht es mehr als ein paar Stunden Ausgang am Abend, also lockt man die Soldaten mit der Chance auf ein, zwei Wochen Jahresurlaub, damit sie, solange sie im Lager sind, alles geben. Obwohl ein Legionär, der eine weiße Weste hat, Anspruch auf Urlaub genießt, haben die Vorgesetzten das Sagen, wann und wohin es losgeht, denn sie müssen das Bedürfnis des Soldaten nach einer Pause gegen die Kopfstärke der Legion insgesamt aufwiegen und auch gegen die sehr realistische Möglichkeit, dass einige gar nicht zurückkommen.

Wenn du mich liebst, tu dein Bestes, mir über deine Gesundheit zu schreiben. Wenn dir etwas an mir liegt, schicke Sempronius mit ein paar Leinenkleidern [...] sobald der Kom-

mandeur anfängt, Urlaub zu geben, komme ich gleich zu dir.
(Brief des Soldaten Julius Apollinaris an seinen Vater, 107 n. Chr.)
Papyrus Michigan 466

De re militari

- Eine Legion verdrückt rund 2000 Tonnen Getreide pro Jahr, also ist es eine riesige logistische Herausforderung, die Männer satt zu bekommen.

- Die Parole wechselt täglich. Sie ist eine einfache Sicherheitsvorkehrung und besteht aus einem einzigen Satz, an dem sich Lagerangehörige erkennen können, auch wenn es schnell gehen muss – während eines nächtlichen Barbarenüberfalls zum Beispiel.

- Soldaten im Ruhestand lassen sich oft in *canabae* nieder, um ihrer alten Garnison nahe zu bleiben.

- Obwohl eine *vexillatio* aus der Blüte einer Legion bestehen soll, haben manche Kommandeure den Verdacht, dass die Legionszenturionen ihnen alle schicken, die sie mindestens eine Zeitlang los sein wollen.

- Einer der Gründe für die Varus-Katastrophe von 9 n. Chr. lag darin, dass zu viele Soldaten auf Außendienst waren und zur gleichen Zeit vernichtet wurden wie die geschwächte Hauptmacht.

VIII Im Feld

Nos contra robur exercitus Gallici pugnavimus:
mille quidem contra unum pugnavisse videbantur.
fortissimus nihilominus erat Gallus ille.
Wir kämpften gegen die Elite der gallischen Armee.
Es stand tausend zu eins gegen sie.
Nur war er ein ganz schön harter Gallier.

Die römische Armee zieht nicht so einfach in den Krieg, sondern übernimmt, wenn sie das tut, üblicherweise die Initiative (immer mit Ausnahme der lästigen Daker). Deswegen weiß der Legionär in der Regel lange vorher, dass ein Feldzug ansteht.

Erstens: Nehmen Sie sich Zeit, Ihren Lieben daheim Briefe zu schreiben, und sagen Sie Ihrer Liebsten zärtlich auf Wiedersehen. Sie werden noch nicht sofort weg sein, aber in nächster Zeit werden Sie trotzdem wenig Freiräume oder Energie übrig haben.

Zweitens, und das ist das Wichtigste, fressen Sie wie ein Bär vor dem Winterschlaf. Ein gesunder Appetit ist aus zwei Gründen eine gute Sache – Sie kommen in eine Phase, in der Sie einen erhöhten Kalorienverbrauch haben werden, und außerdem ist es der sicherste Weg, Vorräte ins Feld mitzunehmen, wenn man sie als zusätzlichen Speck um die Hüften transportiert. Ob Sie's glauben oder nicht, man kann gleichzeitig fett und fit sein, und ein Legionär sollte alles daran setzen, beides zu werden, bevor die Armee ausrückt.

Drittens: Stellen Sie sich darauf ein, dass der Legionslegat und die Offiziere die Härte des normalen Trainings deutlich steigern werden. Wenn die Legionen kurz davor stehen, etwas für ihr Geld zu tun, verlegt der Kommandeur seine Männer in der Regel aus dem Stützpunkt ins Zeltlager. Ein kluger General weiß, dass es besonders für eine Legion, die längere Zeit in einem festen Quartier gestanden hat, eine gute Idee ist, ein, zwei Wochen im Freien zu verbringen, damit sich alles richtig einspielen kann, bevor es mit dem Marschieren im Ernstfall losgeht.

Manchmal ist diese Vorbereitungsphase so schlimm, dass sich der tatsächliche Feldzug, der anschließend kommt, wie Urlaub anfühlt. Das Muster dafür reicht mindestens bis in die Zeit zurück, als die Römer im ausgehenden 3. Jahrhundert v. Chr. gegen Hannibal kämpften:

> Er [Scipio Africanus] wagte nicht in den Kampf zu ziehen, ehe er seine Armee in vielen schweren Manövern geübt hatte. Er ließ sie kreuz und quer über die nahe gelegenen Ebenen marschieren und jeden Tag ein neues Lager bauen und später zerstören. Vom Morgenrot bis zum Abendrot musste man Gräben ausheben und dann wieder auffüllen, hohe Wälle aufwerfen und dann einreißen, und alles überprüfte er strengstens [...] Die Soldaten wurden in Gruppen mit besonderen Aufgaben eingeteilt; einige zogen den Graben, andere errichteten die Wälle, während wieder andere die Zelte aufschlugen. Er gab ihnen eine Zeit vor, die für diese Aufgaben erlaubt war, und maß sie dann.
>
> APPIAN, *Iberika* 86

Jeder erinnert sich noch an die Manöver von 57–58 n. Chr., als Corbulo die schlafmützige römische Orientarmee mit brachialer Gewalt in eine Kampfmaschine aus hammerharten Partherkillern verwandelte. Die Übungsmärsche im Winter des armenischen Hochlands waren so brutal, dass manche Wachen auf dem Posten erfroren. Die Wälle musste man aus der zu Stein gefrorenen Erde hacken; einmal warf ein Holzsucher sein Zweigbündel hin und stellte fest, dass seine Hände mit dem Feuerholz abgefallen waren.

Viertens üben Sie das Schaufeln für den Sieg. Gefechtstraining kommt nur relativ selten vor, nämlich als kleine Auflockerung zwischen zwei Phasen intensiver Wühltätigkeit. Die römischen Generäle sind fest davon überzeugt, dass der beste Weg, einen Krieg zu gewinnen, über die *dolabra* führt, die Legionshacke. Wenn die Legionäre also nicht gerade Gräben rund um das Marschlager ausheben – zehn Fuß tief –, dann stürzen sie sich in andere Übungen, nämlich:

- Schutzwälle aufschütten,
- Gräben ziehen, die feindliche Kavallerie daran hindern, die Flanken der Armee zu umgehen,
- Stellungen für Belagerungsmaschinen bauen
- oder vielleicht ein paar Ingenieurarbeiten an den Straßen und Brücken, die die Armee dahin bringen werden, wo sie hin muss.

(Zum Beispiel arbeitet der kaiserliche Ingenieur Apollodoros an einer Brücke – die über 800 m lang wird und die Armee Traians über die Donau nach Dakien transportieren soll, ein Stück römische Wertarbeit, das noch ein, zwei Jahrtausende aushalten wird, bis man die letzten Überreste im 20. Jahrhundert n. Chr. sprengt, weil sie die moderne Schifffahrt gefährden.)

Fünftens und letztens: Ansprachen. Wenn die Zeit des intensiven Trainings zu Ende ist und der echte Feldzug bald beginnen wird, sollte ein wohlerzogener General das auch ankündigen. Das heißt, dass alle Mann zu einem besonderen Appell antreten und eine Ansprache vom Kommandeur bekommen. In seiner Rede erklärt der General die Gründe für den Feldzug, warum er gut für Rom ist und wie viel Beute auf dem Weg zum erfolgreichen Abschluss für alle winkt. Der letztgenannte Punkt ist besonders wichtig, falls der betreffende General seine Truppen für den Bürgerkrieg vorbereitet und versucht, die Herrschaft zu übernehmen, denn dafür braucht man besonders große materielle Anreize.

Feldzugsstrategie

Römische Feldzüge sind im Kern politisch motivierte Kampfhandlungen mit hoher Intensität. Das heißt, im Krieg versucht die römische Armee nicht etwa strategisch wichtige Punkte zu besetzen oder mit Blockaden und Sanktionen die Wirtschaftsressourcen des Feindes anzuknabbern. Stattdessen legen die Generäle fest, zur Verteidigung welchen Zieles der Feind wohl kämpfen wird – seine Hauptstadt ist immer eine gute Wahl –, und rücken dagegen auf dem kürzesten Weg vor. An irgendeiner Stelle wird ihnen der Feind eine Armee in den Weg stellen und sein Möglichstes tun, die römische Dampfwalze aufzuhalten. Die Legionäre hacken besagte Armee dann in blutige Stücke und der Feind kapituliert entweder oder seine Hauptstadt fällt nach kurzer, tödlich spannender Belagerung. Diese Immer-feste-druff-Strategie hat die letzten 500 Jahre lang gut funktioniert, und Kaiser Traians Methode, die Daker und Parther anzugehen (oder vielmehr deren Hauptstädte Sarmizegethusa bzw. Ktesiphon), wird auch nicht anders sein.

Die Marschkolonne

Jetzt bildet die Legion eine Marschkolonne und zieht in den Krieg. Im Allgemeinen verändert die Marschkolonne ihre Formation beträchtlich, sobald die Legion jenseits der römischen Grenze operiert oder wenn sie auf einen in ihr Gebiet eingedrungenen Gegner zumarschiert. Die Wahl der Formation hängt davon ab, gegen welche Art Feind man vorrückt. Wenn die Armee zum Beispiel gegen einen Feind mit starker Kavallerie kämpft, bildet sie wahrscheinlich ein hohles Rechteck mit den Truppen außen und dem Tross auf der Innenseite. Natürlich ist eine solche Formation darauf angewiesen, dass das Gelände offen genug ist, damit die Armee sich so gruppieren kann, aber gerade auf offenem Terrain ist Kavallerie sowieso am gefährlichsten.

In zerschnittenem Gelände, wo es auf Geschwindigkeit ankommt, kann man die Armee in mehrere Marschkolonnen aufteilen, die jeweils unabhängig auf das Ziel vorrücken. Dieser Ansatz geht davon aus, dass der Feind nicht stark genug ist, eine einzelne Kolonne zu überwältigen, ehe die anderen zu ihrer Entlastung herankommen – aber prinzipiell sind die Legionäre in diesem Punkt weniger optimistisch als ihr General.

Die gängigste Marschkolonne ist jedoch jene, die der jüdische General Josephus in seinem Buch über den Jüdischen Krieg geschildert hat. Josephus befand sich tatsächlich bei der römischen Armee, die 68 n. Chr. auf Jerusalem marschierte, und da er selber ein Militär war, wusste er, wovon er redete. In Judäa rückte die römische Armee durch feindliches, aber relativ offenes Gelände vor, das gleichwohl ein paar unangenehme Überraschungen enthalten konnte, etwa die Armee im Hinterhalt, die die Legio XII 66 n. Chr. in Beth Horon in Stücke schlug.

Späher und Kundschafter: Der erste Teil der römischen Armee, den ein feindlicher Kundschafter zu Gesicht bekommt, ist eine Erkundungstruppe aus Auxiliaren und Bogenschützen. Die Auxiliare haben den Auftrag, bewaldete Stellen und andere mögliche Hinterhalte durchzukämmen, und die Schützen haben die Aufgabe, den sehr hastigen Rückzug der Auxiliare zu decken, falls sie etwas finden.

Diese Aufklärungstruppe muss nicht weit zurücklaufen, ehe sie auf die ihr folgende Vorhut aus schwerer Infanterie und Kavallerie trifft. Diese Abteilung ist stark genug, aus eigener Kraft mit jedem Hinterhalt außer den allergrößten fertigzuwerden oder, falls das scheitert, lange genug auszuhalten, bis der Rest der Armee erscheint.

Pioniere: Hinter der Streitkraft, die sie abschirmt, kommt ein kleines Kontingent aus Landvermessern und Arbeitern, die den Standort des Legionslagers für die Nacht festlegen und, sobald sie dort sind, Markierungen anbringen, wo die Zelte aufzuschlagen und die Gräben zu ziehen sind.

Ingenieure und Straßenarbeiter: Als Nächstes geht der eigentlichen Armee ein Kontingent geplagter Ingenieure voraus, die die Aufgabe haben, alle Straßenschäden zu flicken und auszubessern. Sie stehen normalerweise unter großem Stress, weil sie gegen die Zeit arbeiten, um vor dem Eintreffen der Hauptmacht alles fertig zu haben.

Gepäcktross und Belagerungsmaschinen: Dies ist der verwundbarste Teil der Armee und derjenige, den der Feind am liebsten angreifen möchte, denn der Tross enthält sowohl die Beute als auch die Vorräte für die Römer. Die Zerstörung des Belagerungstrains (und das Töten der Leute, die seine Höllenmaschinen bedienen können) kann einen ganzen Feldzug ruinieren.

Der General: Hinter dem Belagerungstrain kommt der Feldherr mit seiner ganzen Kavallerie und den Offizieren, also können die Ingenieure ihrem Oberbefehlshaber persönlich die Gründe erklären, wenn es unterwegs nicht weitergeht. Die Position des Generals nahe der Mitte der Kolonne erlaubt es ihm, rasch vorzurücken, um sich ein Bild über Probleme oder Feindtätigkeit auf dem Marsch zu verschaffen.

Die Legionen: Aus Legionärssicht ist die gute Nachricht, dass Legionen und Auxilia mit so vielen Leuten vor sich in entspanntem Tempo hinterherrücken können, üblicherweise in Sechserreihen, während der Legion ihr Adler und ihre Trompeter vorausgehen. Den Legionären folgen die Maultiere, die das persönliche Gepäck und die Zelte tragen. Hinter den Legionen kommt alles, was die Römer an verbündeten Stämmen oder zusätzlichen Truppen mitnehmen.

Nachhut: Um sicherzustellen, dass sich niemand von hinten anschleicht, deckt eine weitere Abteilung aus Infanterie und Kavallerie den Rücken der Armee.

In rauem Gelände, wo es nur einen einzigen Weg gibt, zieht sich eine römische Armee über weite Strecken auseinander. Unter Extrembedingungen können in einer großen Armee 15 km zwischen den vorgeschobenen Spähern und der Nachhut liegen. Da die Truppen auf dem Marsch pro Tag mindestens 30 km zurücklegen sollen, heißt das, dass die Spitze der Armee bereits auf halbem Weg zu ihrem Nachtlager ist, ehe die Nachhut das letzte Lager verlassen hat. Doch solche Bedingungen sind selten. In der Regel ist die Straße für die Ochsenkarren und Belagerungsmaschinen, und die Legionäre marschieren über das Gelände nebenher. Das klingt vielleicht sehr anstrengend, aber Sie werden feststellen, dass es, wenn erst einmal ein paar tausend Pferde und die Männer der Legion in der Vorhut über den Boden gelaufen sind, normalerweise einen gut ausgetretenen Weg für Sie gibt. Das ist eine angenehme Überraschung auf festem, trockenem Boden und das genaue Gegenteil, wenn der Boden nass und schlammig ist.

Marschlager

Ein römisches Marschlager kommt einem sehr bekannt vor. Es ähnelt dem festen Lager, das der Legionär verlassen hat. Da steht die gleiche *porta principalis*, die zu den gleichen *principia* und dem gleichen *praetorium* führt, dieselben Leute bewachen sie und dieselben Leute sitzen drinnen. Im Allgemeinen sind sogar die Zelte entsprechend der Anordnung der Kasernenblöcke aufgeschlagen, auf jeden Fall in derselben Verteilung. Wenn also Manlius aus der Zenturie von Titus Quinctius *caligae* in derselben Größe wie Sie hat und Sie sich ein Paar leihen wollen, müssen Sie nicht lange herumfragen, wo das Zelt dieses Mannes

Ein neues „Zuhause" entsteht in feindlichem Gebiet. Die *lorica segmentata* ist leicht und biegsam genug, damit Bautrupps in voller Rüstung an einem Lager arbeiten können, und wenn man mit der Arbeit fertig ist, lenkt das Reinigen der Rüstung einen auf angenehme Weise von des Tages Last und Mühen ab. Das ist anscheinend jedenfalls die offizielle Version.

steht – es ist drei Reihen weiter und zwei nach rechts, genau da, wo auch schon sein Quartier war, als Sie in der Garnison Ihre Schuhgrößen verglichen haben, und wohin Sie am Tag zuvor nach dem Marsch auf einen Becher Wein gegangen sind.

Ehe die Legionäre es sich in der heimatlichen Umgebung ihres Lagers gemütlich machen können, müssen sie es natürlich erst einmal bauen. Der neue Lagerplatz ist vorher sorgfältig mit Blick auf ebenes Terrain, Zugang zu Trinkwasser und Formbarkeit des Bodens ausgesucht worden. Gute Verteidigungseigenschaften des Ortes sind nicht überragend wichtig, weil das Lager sowieso sehr sicher sein wird, sobald die Legionäre fertig sind. Tatsächlich gibt es fast keinen belegten Fall, in dem ein Legionslager erfolgreich gestürmt wurde, solange eine komplette Legion drinnen war, dafür aber reichlich Beispiele von Leuten, die es vergeblich versucht haben.

> Wo man Leute am Wall graben hörte oder Leitern gegen die Wälle gelegt wurden und der Feind dadurch in Reichweite kam, stießen sie [die Legionäre] diese mit ihren Schilden zurück und stießen mit dem *pilum* nach. Jene, die sich bis auf die Wälle vorgekämpft hatten, erledigte man durch Dolchstiche. (Germanenangriff auf ein Römerlager bei Nacht)
> Tacitus, *Historien* 4,29,3

Wenn die Legion am neuen Lagerplatz eintrifft, haben die Arbeiten schon begonnen. Jeder Mann in seiner Einheit weiß, was er zu tun hat, und so machen sich einige auf, um die Maultiere mit den Zelten zu finden, und andere begeben sich ungefähr in den Lagerabschnitt, wo sie ihr Stück Wall und Palisade zu errichten haben.

Normalerweise errichtet man den Wall, indem man den Rasen abhebt und als Verkleidung des aufgeworfenen Bodens aufschichtet, aber auch ein bisschen improvisierter Trockenmauerbau aus Steinen kann nötig sein, und die Wände des Grabens verstärkt man mit Holz, falls die Erde besonders bröselig ist. In der Regel braucht man für den Bau eines Lagers drei Stunden.

> Im gleichen Galopp, in dem sie gekommen war, versuchte die germanische Reiterei durch die Porta Decumana ins Lager einzubrechen. Wegen der Wälder, die auf dieser Seite die Sicht versperrten, sah man sie erst, als sie schon fast das Lager erreichten – sogar so spät, dass die Händler in ihren Buden vor dem Wall keine Zeit mehr hatten, sich nach drinnen zu retten. Unsere Männer, die darauf nicht gefasst waren, standen durch die neue Entwicklung benommen da und die Kohorte auf Torwache konnte den ersten Ansturm kaum abwehren. Der Feind verteilte sich auf die übrigen Seiten, um einen Zugang nach drinnen zu finden. Unsere Männer verteidigten mit großer Mühe die Tore; alle übrigen Zugangswege schützten die Lage des Lagers und seine Befestigung allein.
>
> CAESAR, *Gallischer Krieg* 6,37,1–5

Sie werden viel Gemecker hören über die ganze Arbeit, die beim Bau dieser Lager anfällt, aber normalerweise tut die Armee nichts ohne guten Grund, auch wenn der Grund manchmal absurd oder zumindest schwer einzusehen ist. Die Logik hinter dem Lagerbau sieht wie folgt aus:

1. Wenn man an die Länge einer Marschkolonne denkt, muss eine Menge Legionäre zwangsläufig herumstehen, während sie auf die Ankunft ihrer Kameraden warten, also können sie in der Zeit genauso gut etwas Nützliches tun.
2. Ein Legionslager, das sich 150 km pro Woche in sein Gebiet hineinbewegt, hinterlässt beim Feind großen psychologischen Eindruck, nicht zuletzt, weil die römischen Pioniere einige Zeit damit verbringen, den Weg zwischen den Lagern freizuräumen und zu begradigen, sogar wenn die Invasion nicht als Eroberung gedacht ist. „Wir sind hier", sagt das Lager, „und ihr könnt überhaupt nichts dagegen tun." Und die Straße ergänzt: „Und sogar wenn wir nicht die Absicht haben, dazubleiben, haben wir ein paar Sachen verbessert und können nächstes Mal noch schneller wiederkommen."
3. Dazu kommt natürlich die Wirkung auf die Legionäre selber. Das Lager ist ein mobiles Zuhause. Da draußen ist vielleicht die letzte

Einöde, bewohnt von blutgierigen Wilden. Aber die improvisierte Kneipe, die Ihre Stubenkameraden in aller Stille bei den Ställen auf der Via Decumana untergebracht haben, gibt es immer noch, und die Wachen auf Turm XII rasseln netterweise auch weiterhin mit ihrer Rüstung, um die anderen Posten vorzuwarnen, wenn der Wachoffizier auf seinem Rundgang ankommt. Die Latrinen sind jetzt im Freien, aber Ihr Lieblingsplätzchen dicht an der Ecke ist nach wie vor zu haben.

4. Wälle und Gräben halten nicht nur den Feind draußen, sie halten auch die Legionäre drinnen. Desertion ist in der Armee stets ein Problem, und die Aussicht, in die Schlacht zu ziehen und lange scharfe Eisenstücke in die Weichteile gestoßen zu bekommen, löst in nachdenklichen Gemütern häufig Wanderlust aus.

Reiseunterkunft

Ihr Zuhause ist jetzt ein *papilio*, ein Zelt, das üblicherweise aus geöltem Leder besteht (Kalb oder Ziege sind die gängigen Varianten) und acht Mann fasst. Bei acht wird's schon eng, was bedeutet, dass die Ausrüstung meistens vor dem Zelt aufgestapelt wird, obenauf als notdürftiger Regenschutz die Schilde in ihren Lederhüllen. Wer ein Lager betritt, kann oft auf einen Blick sehen, wie feucht der Boden ist. Je schlammiger es zugeht, desto niedriger werden die Zelte und desto steiler deren Wände, weil die Soldaten die Seitenwände nach innen schlagen, um einen Bodenbelag zu bekommen, der dafür sorgt, dass sie nicht mit dem Kopf in der Nässe schlafen müssen. Je kleiner das Zelt, desto kleiner ist auch der Innenraum und desto besser kann ihn die Wärme von acht Körpern auf einem kühlen Frühjahrs- oder Herbstfeldzug aufheizen. Bei heißem Wetter lassen sich die Vorderseiten natürlich öffnen und anwinkeln, um einen kühlenden Luftzug durch das Zeltinnere zu leiten.

Eine wichtige Eigenschaft des Zeltes ist, dass die Zeltschnüre nicht weit vom eigentlichen Zelt nach außen reichen, und jeder Legionär lernt schnell, wie groß dieser Abstand genau ist, und kann sich zwischen den Zeltreihen hindurch nach Hause schlängeln, ohne mit dem Fuß hängenzubleiben. Inzwischen wird es niemanden mehr überraschen, dass das Zelt eines Zenturio größer und besser ausgestattet ist als das normale Legionärszelt.

Feldverpflegung

Ein großer Unterschied zwischen einem Marschlager und einer festen Garnison ist das Fehlen von Kochgelegenheiten. Die Frage der Versorgung ist auch den Leuten schon aufgefallen, die die Legionen daran hindern wollten, bei ihnen einzumarschieren.

Während die Legion selber vielleicht unbesiegbar ist, sind es ihre Nachschublinien nicht, und keine Armee operiert mit Höchstleistung, wenn ihre Soldaten hungern.

> Er kämpfte, indem er dem Feind in den Magen trat.
>
> Plutarch, *Leben des Lucullus* 11
>
> [Manche] sagten, sie fürchteten nicht den Feind, aber hätten Angst wegen der Engpässe unterwegs und der Weite der Wälder [...] oder dass der Proviant nicht reichlich genug hergeschafft werden könnte.
>
> Caesar, *Gallischer Krieg* 1,39,6

Genau für den Fall, dass ein Überfall auf die Nachschubkolonnen gelingt, hat der Legionär eine Nahrungsration für bis zu sieben Tage im Gepäck. Nicht eingerechnet ist dabei der gefürchtete Zwieback, der dem Legionär noch übrigbleibt, wenn er die kulinarischen Alternativen ausprobiert hat, die ihm seine Sandalen und sein Schildüberzug bieten. Im Feld muss das *contubernium* sich selbst ernähren. Das Essen kommt aus zwei Quellen:

Die Intendantur: Vielleicht eines der charakteristischsten Merkmale einer römischen Armee im Feld besteht darin, wie sehr man sich bemüht hat, für die vorrückende Armee auch die nötigen Lebensmittelvorräte zu sichern.

> Nichts setzte unseren Truppen so zu wie der Vorratsmangel.
>
> TACITUS, *Historien* 4,35,1

Magazine: Der kommandierende General achtet darauf, dass, noch ehe der erste Legionär einen Fuß über die Provinzgrenze ins Feindesland gesetzt hat, große Reserven an Korn und Fleisch gebildet worden sind, um ihn bis zum Zielort zu verpflegen.

Essen auf vier Beinen: Wie Ihnen ein philosophisch veranlagter Zahlmeister gern bestätigen wird, liegt der wahre Sinn des Lebens darin, dass das Fleisch sich frisch hält. Deshalb stellt er vielleicht eine Viehherde zusammen, die der Legion folgt und so einen sich selbst transportierenden Lebensmittelvorrat garantiert, der frisch bleibt und zusätzlich eine praktische Quelle für Rohleder, Sehnen und Leim bildet.

Abgepackte Rationen: Die Legion versorgt die Männer hauptsächlich mit Korn und Trockenfleisch. Das Getreide wird mit Handmühlen gemahlen, die das Maultier des *contubernium* befördert, und kann entweder zu grobkörnigen Fladen verbacken oder als klebrige Grütze angerührt werden. Eine faule Truppe oder eine, die bildlich gesprochen harte Nüsse zu knabbern hat, kocht vielleicht einfach das Getreide und isst es so.

Fouragieren: So eine Kost wird nach kürzester Zeit eintönig, und den Großteil des Tages zu marschieren und zu graben regt eindeutig den Appetit an. Deshalb ist eine Zukost aus frischem Rind-, Schweine oder Hammelfleisch oder ein unerwarteter Schlag Gemüse im Essnapf hochwillkommen. Dieses Essen stammt aus dem Land, das die Armee gerade durchquert. Der Durchschnittslegionär sieht nicht viel vom Feind, bis er in eine Belagerung oder eine klassische Schlacht eintritt, denn alles, was kleiner ist als eine feindliche Armee, hat keine Chance, und alle Dörfler entlang seiner Marschroute haben ihre Frauen, Kinder und Viehherden meist so weit vor den vorrückenden Römern in Sicherheit gebracht wie möglich.

Deswegen müssen jetzt die Auxiliare etwas für ihr Geld tun und bilden Kommandos zur Vorratsbeschaffung; sie finden heraus, wo die Dorfbewohner ihre Herden versteckt haben, und treiben sie ins Lager, um die Soldaten mit Frischfleisch zu versorgen. Andere Kommandos schwärmen entlang der Marschroute aus, plündern Gärten und Felder und kommen mit Frischobst und Gemüse zurück.

Legionäre bedienen sich auf den Kornfeldern im Feindgebiet. Während der Kriege in Makedonien raubten die Legionen so viel Getreide, dass ein makedonisches Überfallkommando das Lager anzuzünden versuchte, weil man glaubte, es müsste bis zu den Knien in Weizenhalmen und Spreu versinken.

Die Spur der Verwüstung

Das ist einer der Gründe, warum man den Sommer und den Frühherbst die Feldzugsaison nennt – weil das Land dann genug Essen bietet, um eine Armee im Feld zu unterhalten. Die Tatsache, dass dieses Land von Menschen bestellt worden ist, die Feldfrüchte und Herden brauchen, um sich selbst über den kommenden Winter zu bringen, ist nichts, worüber ein Durchschnittssoldat lange nachdenkt.

Trotzdem ist allein der ungeheure Preis an Menschenleben und Ernteerträgen, den der Durchzug einer Armee durchs eigene Hinterland fordert, ein starker Anreiz für Roms Nachbarn, Frieden zu halten. Die Legionäre und Auxiliare, die solche Schäden selbst gesehen und verursacht haben, empfinden den heftigen Wunsch nach Vergeltung an den Dakern und Parthern, die ähnliches Leid über das Herz der Provinzen Mösien, Pannonien und Syrien gebracht haben.

Dieser Teil der Kampagne ist die Stunde der Kavallerie, sowohl der Legionsreiter als auch der Auxiliare. Nachschubkolonnen wie Fourageure sind gleichermaßen anfällig gegen Überraschungsangriffe und Hinterhalte, weil die Eingeborenen, was nicht weiter überraschen kann, ziemlich schlecht auf die Verwüstung ihrer Gegend reagieren. (Allerdings ist es in manchen Fällen so gekommen, dass der Herrscher des angegriffenen Landes es zu Beginn des Krieges selbst verwüstete, weil die Römer es sowieso tun würden und er ihnen also auch gleich die Vorräte wegnehmen konnte.)

Die Kavallerie hat ständig damit zu tun, die Nachschubkonvois zu schützen und plötzliche Gemetzel an verstreuten Nahrungssuchern zu verhindern; außerdem führt sie die Aufklärung durch und verstärkt Vor- und Nachhut. Dabei bleibt der Kavallerie der Trost, dass es, wenn es zu einer Belagerung kommt, für Reiter allgemein wenig zu tun gibt, außer zuzuschauen, während die Legionäre sich den Kopf an den Steinmauern des Feindes blutig rennen; wenn man allerdings knapp an Männern ist, beteiligen sich abgesessene Kavalleristen am Sturm auf die feindlichen Wälle.

De re militari

- Eine Legion auf dem Marsch braucht rund 8200 kg Getreide am Tag, dazu 55 000 l Wasser und 18 200 kg Futter für Pferde, Ochsen und Tragtiere.

- Zwei Paar Ochsen, die einander ablösen, sind nötig, um 450 kg Fracht an einem Tag 30 km weit zu befördern.

- Weil in jeder Zenturie zwei *contubernia* Wache halten, braucht eine Einheit, die mit leichtem Gepäck reisen muss, statt zehn Zelten nur acht mitzunehmen.

- Das Hauptproblem mit Ochsenkarren besteht darin, dass die Tiere sechs Stunden jeden Tag mit Fressen verbringen.

- Um Angreifer zusätzlich abzuschrecken, graben die Römer kleine Löcher rund um ihre Lager, tarnen sie an der Oberseite und bringen am Boden der Löcher spitze [Holz- oder] Eisenstangen an, die man Lilien nennt.

- Manchmal bauen die Römer, nur um klare Verhältnisse zu schaffen, ihr Marschlager an der Stelle eines zerstörten Dorfes.

IX Wie man Städte erobert

Munimentum intrantibus difficile est,
difficile etiam relinquentibus.
Wer es zu schwer macht, hineinzukommen,
kommt auch schwer raus.

Zu guter Letzt kommt die Legion vor den Mauern der feindlichen Hauptstadt oder einer anderen wichtigen Siedlung auf dem Weg dorthin zum Stehen. Die Gefühle von Legionären bei Belagerungen sind meistens gemischt. Einerseits wirkt der Sturm auf eine große, reiche Stadt Wunder für das Ersparte eines Legionärs. Andererseits sind die damit verbundenen Risiken so hoch, dass es am Ende vielleicht überhaupt unnötig war, Ersparnisse zu haben.

Eine Belagerung ist nur selten eine Zeit ausgedehnten Nichtstuns, in der die Soldaten alte Briefschulden begleichen und ihre Würfelspielkünste aufpolieren, während sie abwarten, ob der Feind verhungert, bevor sie selber wegen der Ruhr die Belagerung aufgeben müssen. (Selbst die römische Armee – die in solchen Dingen vorausschauender als die meisten anderen ist – hat die beklagenswerte Angewohnheit, ihre Latrinen zu nahe an den Brunnen zu bauen.)

Stattdessen können Sie wegen der Nix-wie-druff-Mentalität der meisten römischen Generäle damit rechnen, dass Belagerungen gefährliche, unbequeme, riskante Geschichten (und reiner Selbstmord, wenn ein unfähiger Kommandeur sie leitet), dafür aber meistens in wenigen Wochen vorbei sind. Erinnern Sie sich, dass Augustus es schaffte, bei einer Belagerung einen Enkel zu verlieren, und gleich neben Kaiser Vespasians Sohn Titus ein Adjutant getötet wurde. Wenn so hohe Persönlichkeiten schon einem Risiko ausgesetzt sind, fällt es nicht schwer, die Aussichten eines einfachen Legionärs einzuschätzen.

Eine Stadt einzunehmen ist nicht das Gleiche wie der Sturm auf ein Barbarenlager. Zwar befinden sich Barbarenlager gern an kniffligen und unzugänglichen Positionen, aber sie einzunehmen ist mit einer römischen Streitmacht in vernünftiger Größe normalerweise schnell erledigt. Das Patentrezept:

1. mithilfe der Legionsartillerie die Palisade zusammendreschen,
2. einige Sturmleitern bauen,
3. Mordsgebrüll anstimmen und angreifen,
4. schnelles, relativ einfaches Gefecht austragen,
5. letzten Widerstand beseitigen und plündern.

Die schlechte Nachricht ist, dass es in diesen Lagern fast nichts zu holen gibt, es sei denn, Sie haben eine erotische Schwäche für Schweine und Enten; Barbarenfrauen verstecken nämlich Dolche an den unmöglichsten Stellen – und haben keine Hemmungen, sie zu benutzen.

Bedauerlicherweise ist ein Stadtangriff selten so leicht. Dakische, parthische oder griechische Städte (um nur ein paar zu nennen) haben beachtliche Festungswerke, und in Judäa kommt der fanatische Widerstand der Verteidiger noch dazu. Diese Völker wissen alles über Belagerungen – die Assyrer haben es den Phöniziern beigebracht, die den Griechen und Juden, die wiederum den Parthern (die schon vorher ganz gut darin waren). Unter solchen Umständen gibt es nichts Deprimierenderes als einen Feldherrn, der verkündet, man müsse „diese

Feindlicher General an den römischen General Marius: Wenn du so ein guter General bist, Marius, warum kommst du nicht raus und kämpfst?

Marius: Wenn du denkst, dass du selber so gut bist, warum zwingst du mich nicht dazu, obwohl ich nicht will?

Plutarch, *Leben des Marius* 33

Mauer um jeden Preis erobern". Die Legionäre wissen schon, wer diesen Preis zahlen darf.

Das Vorspiel

Generäle haben den egoistischen Wunsch, Städte unversehrt einzunehmen, denn dann beginnen sie augenblicklich Erträge zum Strom der römischen Staatseinnahmen beizusteuern, ohne dass man sie erst wieder aufbauen (und neu besiedeln) muss. Jede Geldbuße oder Brandschatzung, die die Stadt zahlt, geht direkt an den Kommandeur und die Staatskasse, also fällt für die Legionäre nichts ab außer viel Bewegung in frischer Luft, während sie bis zur Stadt marschieren. Es ist wichtig, dass, während die Verhandlungen andauern, die Stadtbewohner sehen, wie vor ihren Augen die Alternative zur Kapitulation Gestalt annimmt. Während der General also für Frieden wirbt, baut seine Legion fleißig und gut sichtbar ihre Kriegswaffen zusammen.

Die ersten Stadien einer Belagerung sorgen für Abwechslung vom üblichen Legionärstrott, der darin besteht, weite Strecken zu laufen und dabei schwere Lasten zu tragen. Stattdessen laufen die Soldaten nun kurze Strecken und tragen sehr schwere Lasten. In einer Belagerung entscheidet zuerst der Mut, dann aber auch die Ingenieure und Bautrupps. Während dieser Zeit schwingt der Durchschnittslegionär kein Schwert, sondern seine *dolabra* und schleppt statt eines Schildes Weidenkörbe voller Erde und große Holzstücke.

Das Holz braucht man für Belagerungstürme (dazu später mehr), den Bau schwerer Artillerie und außerdem nicht nur für die Errichtung des üblichen Lagers, sondern für eine Kette aus Lagern rund um die Stadt und deren Verbindung durch Wälle, Brustwehr und Gräben. Wenn die Stadt Verstärkung erwartet, dient eine zweite Grabenlinie dem Zweck, diese Verstärkung auszusperren. Belagerungswerke entstehen in sagenhafter Geschwindigkeit – mehrere tausend trainierte Bauarbeiter, die sich im Schichtdienst abwechseln (wer nicht baut, steht Wache für die anderen), können 7 km Wall in weniger als einer Woche aufwerfen.

Nachbau der Belagerungswerke Caesars vor Alesia. Alesia war das Beispiel einer doppelten Zirkumvallation, bei der eine Linie (*circumvallatio*) die belagerten Gallier drinnen und eine äußere (*contravallatio*) die gallische Entsatzarmee draußen hielt. Zeitweise kämpften die Soldaten auf den Wällen praktisch Rücken an Rücken, als die Gallier gleichzeitig von drinnen und draußen angriffen.

Ein tüchtiger Kommandeur auf der Gegenseite kann eine Kontermauer bauen, die im rechten Winkel zu jenem Wall läuft, den die Belagerer bauen, wodurch die Einschließung einer Stadt erschwert wird. Pompeius tat das, als Caesar ihn 48 v. Chr. während des römischen Bürgerkrieges einzuschließen versuchte: Er zwang Caesar dazu, um die Erweiterung einer Erweiterung von Pompeius' Befestigungen herumzubauen, bis Caesars Armee am Ende so weit auseinandergezogen war, dass Pompeius aus der ihm gestellten Falle leicht ausbrechen konnte.

Wenn der Feldherr mit einer langen Belagerung rechnet, wird er darauf aus sein, jeden aufzuhalten, der die Stadt verlassen will – je mehr Mäuler es zu stopfen gibt, desto schneller wird der Hunger den Widerstandsgeist brechen. Im gallischen Alesia (und danken Sie den Göttern, dass die Gallier und ihre robusten Festungen heutzutage auf römischer Seite sind) jagten die Verteidiger alle außer den Kampffähigen aus der Stadt. Caesar hatte Alesia bereits eingeschlossen und weigerte sich, die Frauen, Kinder und Alten durch seine Linien zu lassen. Am Ende starben diese Unglücklichen zwischen beiden Heeren an ihren Entbehrungen. Belagerungen sind ein hartes Geschäft.

Nicht nur sind die Einschließungsmauern gut geeignet, um Leute nicht hinauszulassen, sie lassen auch kein Essen hinein. Tatsächlich kann es vorkommen, dass man die Legionäre dafür einsetzt, einen Fluss aus seinem üblichen Bett umzuleiten, damit er die Stadt nicht mehr versorgt.

Sehr oft sorgt der bloße Anblick dieser Vorbereitungen für eine rasche Aufgabe. Einige Generäle lassen den Bürgern der belagerten Stadt die Möglichkeit zur Kapitulation, bis der erste Rammbock die Mauern berührt – danach heißt es Kampf bis zum Tod (soll heißen, bis die anderen tot sind). Wer schnell kapituliert, wird verschont. Ein langer, tapferer Widerstand kann bedeuten, dass die Verteidiger abgeschlachtet werden – zusammen mit ihren Eltern und Frauen. Und ihren Kindern. Und Hunden und Hühnern. Als Sulla nach einer langen, erbitterten Belagerung in den 80er-Jahren v. Chr. Athen eroberte, floss das Blut so reichlich durch die Gassen, dass es als kleiner Bach aus den Stadttoren strömte.

Die römische Sturheit und Arroganz bieten riesige psychologische Vorteile. Im Jahr 73 n. Chr. stürmten die Legionen die „uneinnehmbare“ Festung Masada in Judäa, obwohl sie den Feind viel einfacher hätten aushungern können – nur um der Welt zu zeigen, dass es ging. Eine Stadtbesatzung prahlte einmal, sie habe Essen für zehn Jahre, kapitulierte dann aber doch, als der römische Belagerer beiläufig anmerkte, er werde den Senat informieren, mit der Vernichtung der Stadt sei in elf Jahren zu rechnen.

Artillerie

Wenn die psychologische Kriegführung versagt, wird die Artillerie aktiv. Jede Legion hat eine Auswahl an *ballistae* und Katapulten. Manche sind wie der Skorpion im Grunde ein überdimensionierter Bogen, während andere darauf ausgelegt sind, Steine in wechselnden Kalibern von Pflaumen- bis Melonengröße oder noch darüber zu schleudern. Es gibt

Schleuderer halten Ausschau nach Zielen. Am liebsten benutzen sie zwar ihre ausgewogenen, tödlichen Bleigeschosse, aber sie kommen auch mit jedem Stück Geröll zurecht, das die passende Form hat. Und bei einer Belagerung gibt es meistens reichlich Schutt. Schleuderbleie tragen oft kleine Nachrichten, die ihre Opfer zusätzlich deprimieren sollen, sobald man das Bleistück aus ihrem Fleisch geschnitten hat. Das Exemplar oben wünscht, dass dem Ziel Schlechtes zustößt.

zwei Typen Artillerie: Gegengewichts- und Torsionswaffen. Wie der Name schon andeutet, brauchen Gegengewichtsmodelle eine schwere Masse, die am einen Ende eines Wurfarms zu Boden kracht, sodass das leichtere Ende hochschnellt und seine Ladung in den Himmel schleudert. Torsionswaffen verwenden die zwei elastischsten Stoffe, die der Welt bekannt sind – Tiersehnen und Frauenhaare. Beide werden verflochten und ergeben riesige Federn, die dem Bogen zusätzliche Spannung verleihen. Je nach Modell verschießen diese Bogen entweder Brandpfeile (einzeln oder gleich im Dutzend) oder aber Steine.

Seit sie auf der Bildfläche erschienen sind, haben die Artilleristen ihre Munition bereitgestellt, und Haufen runder Steine, sorgsam nach Größe und Gewicht sortiert, warten zwischen den schnurgeraden Reihen der Katapulte.

Die Belagerungsartillerie hat den allgemeinen Zweck, den Gegner zu demoralisieren, und das spezielle Ziel, den Feind vor einem An-

Auxiliare brennen eine dakische Stadt nieder. Diese Form von „Sanierungsmaßnahme" ist vielleicht ein Vergeltungsakt für einen Guerillaangriff oder schlicht eine Methode, um die Einheimischen zum Umzug von ihrem leicht zu verteidigenden Hügel in ein weniger sicheres, aber gesünderes Gebiet im Tal zu bewegen, wo die *Pax Romana* sie beschützen wird.

griff von den Mauern zu vertreiben. Die schwere Artillerie konzentriert sich vermutlich darauf, die Brustwehr wegzuschlagen, sodass der Feind schutzlos auf einer kahlen Mauer steht. Die leichtere Artillerie ist eine Antipersonenwaffe und erzeugt bei denen, die ihr zum ersten Mal begegnen, eine beträchtliche Schockwirkung. (Und wenn man bedenkt, was nach einem erfolgreichen Sturmangriff passiert, gibt es wahrscheinlich kein zweites Mal.)

Josephus, der jüdische Verteidiger von Jotapata, beschreibt, wie ein wohlgezieltes Geschoss einem Mann den Kopf glatt von den Schultern schlug und dann quer durch den Ort schleuderte. Am Ende machte es die Wucht des römischen Bombardements zu gefährlich, sich überhaupt noch auf die Mauern von Jotapata zu wagen.

Damit Artillerie wirksam ist, muss sie näher als 200 m vor den Mauern stehen, die sie angreift. Was Artilleristen am meisten fürchten, ist ein Ausfall. Irgendwann sind die Verteidiger vielleicht stärker provoziert worden, als sie aushalten können, und stürzen sich dann sehr wahrscheinlich aus den Toren, bewaffnet mit Töpfen voll flammenden Pechs und dem buchstäblich brennenden Wunsch, an ihre Peiniger zu kommen. Solche Angriffe können sehr plötzlich kommen, also genügt ein kleines Nachlassen der Belagerer in ihrer Wachsamkeit, und schon verwandelt sich raffinierte Technik in Brennholz für ein Freudenfeuer.

Natürlich versuchen die Verteidiger hinter ihren Mauern auch zurückzuschlagen. Die Schleuderer, die auf dem Schlachtfeld ziemlich verwundbar sind, haben bei Belagerungen ihren festen Platz. Ihre eiförmigen Schleuderbleie verursachen sogar bei Männern in Rüstung schwere Schäden, und wenn sie auf Fleisch treffen, schließt es sich über dem Blei, das zu entfernen damit zu einer grausigen Prozedur wird. Das wissen die Schleuderer, und manchmal trägt ihre Munition obszöne Aufschriften, die beschreiben, in welchem Körperteil ihres Ziels sie enden soll.

Bei einer Gelegenheit dachten sich ein paar verräterischer Schleuderer innerhalb einer Stadt aus, dass es die beste Methode wäre, den belagernden Römern Nachrichten zu überbringen, wenn sie die Informationen auf Schleuderbleie schrieben und vor aller Augen abfeuerten. Das ist eines der wenigen bekannten Beispiele, in denen *friendly fire* tatsächlich freundlich gemeint war.

Und dann gibt es da noch das ganz normale unfreundliche Feuer. Brandpfeile (Pfeile mit pechgetränkten brennenden Tuchfetzen gleich hinter der Spitze) werden von den Mauern verschossen, um möglichst alles erreichbare Belagerungsmaterial anzuzünden, und obwohl sie auf Maschinen gerichtet sind, kann so ein Pfeil auch jedem Menschen, den er trifft, den Tag verderben. Die Belagerer antworten, indem sie Töpfe mit brennenden, ölgetränkten Lumpen über die Mauern schleudern, in der Hoffnung, so die Stadt anzustecken. Die Verteidiger spannen große feuchtgehaltene Stoffbahnen aus, um Feuerkugeln aufzuhalten, wenn sie über die Mauer fliegen, und die Belagerer decken im Gegenzug anfällige Belagerungsmaschinen mit nassen Rinderhäuten ab, damit sie nicht Feuer fangen.

Stollenbau

Inzwischen geht unter der Erde womöglich ein noch hässlicherer Krieg vor sich. Wenn man zum Minierkommando eingeteilt wird, sehen die anderen Seiten des Belagerungskrieges vergleichsweise spaßig aus. Die Aufgabe ist es, einen Tunnel unter die feindlichen Mauern vorzutreiben. Sobald die Stollengräber dort angekommen sind, tragen sie die Fundamente der Mauern ab und ersetzen sie durch Holzstempel. Zuletzt legen die Mineure Feuer an die Stempel, auf denen die Mauer ruht, und ziehen sich zurück, während über ihnen der Hauptteil der Armee vorrückt. Wenn alles gut geht, bricht die Mauer – randvoll mit Verteidigern – zusammen, kurz bevor die Angreifer eintreffen und über die Trümmer hinwegstürmen.

Wenn beim Stollenbau etwas schiefgeht, entdeckt der Feind, was vor sich geht. Eine Methode, das herauszufinden, besteht darin, gleich hinter der Mauer mit einem Kupferschild, der eine ganz bestimmte Form aufweist, auf den Boden zu hauen. Ein leiser, blecherner Klang zeigt, dass der Untergrund nicht mehr so massiv ist wie früher. Sobald man den unterirdischen Standort der Belagerer ungefähr kennt, wird eine Gegenmine angelegt. Die angreifenden Pioniere arbeiten in ihrem dunklen schmalen Tunnel nicht nur mit dem ständigen Risiko eines Einsturzes oder des Erstickens, sondern auch mit der Aussicht auf eine Konfrontation mit bewaffneten Verteidigern unter der Erde. Manche gut vorbereitete Verteidiger steigen nicht persönlich in die Tunnel ein. Stattdessen schicken sie beispielsweise einen wütenden Bären und ein, zwei Wespennester vor. Als Alternative können sie den Stollen mit dichtem, öligem Rauch vollpumpen und die Pioniere dadurch ersticken, ehe sie flüchten können.

Sogar eine erfolgreiche Unterminierung kann sinnlos werden, falls der Feind sie entdeckt und hinter dem zum Zusammenbruch vorbereiteten Mauerabschnitt eine neue Mauer gebaut hat. Solche Mauern nennt man Lünetten. Sie sind wie ein zunehmender Mond gekrümmt, um den optimistischen Sturmtrupp besser von vorn und beiden Seiten mit Geschossen überschütten zu können, wenn er über die

Trümmer der ursprünglichen Mauer vorprescht. Das ist dann eine jener Situationen, in denen die *testudo*-Formation praktisch ist. Dank ihrem harten Training können die Legionäre eine *testudo* bilden, die fest genug ist, dass ein Streitwagen über das Dach fahren kann. Das hilft sogar gegen ziemlich schwere Geschosse, nicht aber, falls der Feind so weitsichtig war, heißes Öl bereitzustellen.

Kriegsmaschinen gegen die Mauern

Gleichzeitig mit einem Sturm auf die Mauern sucht der General oft, die Tore mit einem Rammbock einzuhämmern. Sturmböcke sind unbeweglich und müssen in der Lage sein, den Aufprall sehr schwerer Gegenstände aus großer Höhe auszuhalten.

Wenn die Verteidiger sehen, dass sich eine Ramme nähert, lassen sie Schutzpolster vor dem Tor oder dem bedrohten Mauerabschnitt hinab und versuchen zusätzlich den Kopf des Rammbocks mit Seilschlingen einzufangen. Nur ein lebensmüder Legionär würde unter der Schutzverkleidung der Ramme heraussprinten, um diese Hindernisse zu beseitigen.

> Der Sturmbock ist ein gewaltiger Holzbalken, der einem Schiffsmast ähnelt. An der Spitze befindet sich ein massiver Eisenaufsatz, der so bearbeitet ist, dass er dem Kopf eines Widders ähnelt, und daher bekommt er seinen Namen. Diese Ramme wird von Seilen, die um ihre Mitte geschlungen sind, in der Schwebe gehalten, und sie hängt an diesem Angelpunkt wie der Balken einer Waage. Auf beiden Seiten sind starke Balken über Kreuz angebracht, um sie zu versteifen. Die Ramme wird durch die vereinten Kräfte einer großen Anzahl Männer nach hinten gezogen, die sie dann anschließend mit Wucht nach vorn schwingen, sodass sie mit dem Eisen an der Vorderseite in die Mauern schlägt.
>
> Josephus, *Der Jüdische Krieg* 3,214–217 (3,7,19)

Wenn Rammen und Minen nicht funktionieren, kann es der General mit einer Belagerungsrampe probieren. Das ist im Grunde eine große Rampe, die man entlang der feindlichen Mauer baut (während die Verteidiger Pfeile, große Steine und alles Erreichbare inklusive des Springbrunnens im Hof auf die Unglücklichen schmeißen, die die Rampe bauen müssen). Eine perfekte Belagerungsrampe besteht aus Baumstämmen, die abwechselnd längs und quer abgelegt werden; alle Zwischenräume sind mit gestampfter Erde gefüllt. Die Stämme hindern die Erde daran, wegzubröckeln, und die Erde schützt die Stämme vor dem Angezündetwerden. Holz ist für Belagerungsoperationen so unentbehrlich, dass Josephus berichtet, es habe nach der Belagerung Jerusalems im Umkreis von 25 km kein einziger Baum mehr gestanden.

Der Trick gegen so etwas besteht darin, die Belagerungsrampe zu unterminieren und Material von unten her so schnell zu entfernen, wie es oben aufgehäuft wird. Wenn die Rampe unmittelbar an die

Aber die Stadt hatte schon lange große Vorräte an allem gesammelt, das man für den Krieg brauchte. Kein mit Weidengeflecht bedecktes Schutzdach konnte der Wucht ihrer Wurfgeschosse widerstehen. Sie hatten zwölf Fuß (drei Meter) lange Spieße mit Eisenspitzen, die von gewaltigen Kriegsmaschinen abgefeuert wurden, und die gruben sich durch vier Lagen Geflecht hindurch in den Boden. Am Ende musste man die Laufgänge lückenlos mit einen Fuß dicken Balken abdecken, und unter diesem Schutz musste man das Material für die Belagerungsrampe von Hand zu Hand reichen. An der Spitze dieser Werke rollte man ein 60-Fuß-Schutzdach vor sich her, um darunter den Boden einzuebnen, das ebenfalls aus den dicksten Hölzern gebaut und mit allem Möglichen abgedeckt war, das als Schutz gegen das Bombardement mit Feuer und Steinen dienen konnte [...] Man machte häufig Ausfälle, um unsere Belagerungsrampe und die Türme in Brand zu stecken.

(Die Römer belagern die griechische Stadt Massalia, 49 v. Chr.)

Caesar, *Bürgerkrieg* 2,2,1–4. 6

Mauer stößt, kann man auch eine Öffnung in die Mauer brechen und Erde und Stämme dadurch entfernen. Manchmal warten die Mineure aber auch darauf, dass ein naiver General mehrere Katapulte oder einen Sturmtrupp auf die Rampe stellt, bevor sie das ganze Teil überraschend zum Einsturz bringen. Eine Grundregel im Belagerungskrieg lautet: Kein Trick ist zu gemein, und für jeden Trick gibt es einen (oft noch gemeineren) Gegentrick.

Legionäre gegen die Mauern

Egal, wie groß die Belagerungsarmee ist, irgendwann sehen die Zahlenverhältnisse so aus, dass der erste Legionär auf der Mauer gegen die ganze Verteidigungsstreitmacht steht. Dieser Legionär bekommt automatisch eine Auszeichnung (die *corona muralis*) – aber falls sich seine Kameraden nicht sehr beeilen, wird sie postum verliehen. Auf die Mauern kommt man normalerweise mithilfe einer der beiden folgenden Techniken.

Leitern: Jeder Legionär hat die düstere Gewissheit, dass ein besonders hartnäckiger Feind – oder ein besonders ungeduldiger General – die ganze Legion buchstäblich die Wände hochgehen lassen wird. Sie müssen nur einen Moment überlegen, um zu erkennen, wie gefährlich es ist, eine Sturmleiter hochzuklettern, an deren Ende mordlustige Verteidiger warten; deswegen denken die meisten Legionäre lieber gar nicht darüber nach.

Wenn man versucht, über die Mauern einer feindlichen Stadt hinwegzuschwärmen, sind zwei Faktoren wichtig – einfache Trigonometrie und die 12:10-Regel. Die Trigonometrie braucht man, um auszurechnen, wie hoch die Mauern sind (man berechnet das aus der Länge des Schattens, den die Mauer wirft – wenn deren Erbauer allerdings so nett gewesen sind, sie aus gleichmäßig geformten Blöcken zu errichten, kann man auch einfach die Steinlagen zählen). Sobald die Mauerhöhe feststeht, legt das Verhältnis 12:10 fest, wie lang die Leitern werden müssen – 12 Ellen Länge auf jeweils 10 Ellen Höhe der Mauern. Das ist wichtig. Die Nutzlosigkeit einer Leiter, die 2 m zu kurz

Mauerklettern in Sarmizegethusa. Als der Dakerkrieg seinen Höhepunkt erreicht, versucht diese gemischte Streitmacht aus Legionären und Auxiliaren, die Wälle der feindlichen Hauptstadt zu übersteigen. Der Feind, der genau weiß, was ihn erwartet, wenn die Römer Erfolg haben, macht sich bereit, sie zurückzuwerfen.

ist, liegt auf der Hand, aber eine zu lange Leiter kann noch schlimmer sein. Die ideale Leiter sollte ziemlich genau einen Fuß unter der Krone der gegnerischen Mauer aufhören. Nur etwas mehr, dann ein schneller Schubs eines Verteidigers gegen die Leiter (manchmal hat er dafür einen langen gegabelten Stock), und gut ein Dutzend Legionäre kracht mit einem riesigen Rums auf den Boden.

Die gute alte Zeit. Caesars Legionäre werden bei einer Belagerung angegriffen. Die Helme sind federgeschmückt, die Schilde sind etwas runder, aber die Barbaren sind kein bisschen weniger haarig.

Außerdem wiegt der volle Kampfanzug eine Menge. Wenn Sie versuchen, eine Leiter, die zu lang ist, trotzdem in den richtigen Abstand zur Mauerkrone zu bringen, indem Sie sie flacher als in einem 10°-Winkel zur Senkrechten anlegen, bricht sie wahrscheinlich in der Mitte durch, sobald sie mit Legionären vollgeladen ist.

> Die erste Reihe rückte ganz zuversichtlich zum Erklettern der Leitern vor. Doch das war eine gefährliche Kletterpartie, nicht so sehr, weil die Verteidiger zahlreich waren, sondern weil die Mauer sehr hoch war. Als die auf der Mauer sahen, welche Mühe das den Angreifern bereitete, wurden sie mutiger. Denn weil die Leitern so hoch sein mussten, zerbrachen viele unter der Last der Männer, die sie hochstiegen. Andere machte die Höhe, die sie erreicht hatten, schwindlig, und schon bei leichtem Widerstand der Belagerten stürzten sie von selbst hinunter. Und wo immer die Verteidiger auf den Trick kamen, Baumstämme oder dergleichen von den Zinnen zu werfen, fielen sie die ganze Länge der Leiter entlang hinunter und fegten sie von allen leer, die hinaufkletterten. Doch nichts bremste trotz all diesen Schwierigkeiten die wilde Heftigkeit des römischen Ansturms.
>
> (Die Römer stürmen die Mauern von Carthago Nova in Spanien.)
>
> Polybios, *Historien* 10,13,6–10

Wo die Chancen schon so schlecht stehen, ist es ein Glück, dass die Angreifer oft auf die Unterstützung durch Belagerungstürme zählen können. Diese Monster – manche sind sechs Stockwerke hoch – sind das Äquivalent eines gepanzerten Mietshauses, das an die feindlichen Mauern herangerollt wird. Die „Bewohner“ der oberen Etagen sind dichte Reihen von Artillerie, Bogenschützen und Schleuderern, deren Aufgabe es ist, sicherzustellen, dass auf den Mauern niemand mehr am Leben ist, wenn die Legionäre unten im Erdgeschoss das Ding bis an die Mauern schieben und die Stufen hochklettern.

Belagerungstürme müssen immun sein gegen einen Strahl brennenden Öls, Brandpfeile und gelegentliche Katapulttreffer. (Der Ingenieur Apollodoros hat vorgeschlagen, eingelegte Rinderdärme als Schläuche für Feuerlöscher zu verwenden, die man in den Türmen mitführen könnte.) Doch all diese Maßnahmen können zunichte gemacht werden, wenn die listigen Verteidiger die Abflüsse der städtischen Brunnen ableiten und vor den Mauern einen matschigen Sumpf erzeugen oder selber unterminieren, sodass es einem das Herz bricht, den Turm kippen zu sehen, weil eine Seite nur ein paar Meter vom Ziel in die Erde sinkt.

Checkliste Belagerung

1. Tage- oder wochenlang Sachen bauen, während der Feind spitze und schwere Gegenstände auf einen schmeißt.
2. Gelegentlich Ausfälle abwehren, bei denen der Feind alles verbrennen oder zerschlagen will, was man schon gebaut hat.
3. Beim Angriffssignal mitten in einen Hagel aus Pfeilen, Schleuderkugeln und kochendem Öl vorrücken.
4. Eine Leiter hochklettern, um zu der großen Anzahl verbissener Mordlustiger am oberen Ende zu kommen.
5. Sich über verschiedene Türme und Treppenhäuser wieder nach unten ins Erdgeschoss kämpfen.
6. Von Haus zu Haus gehen und in die Enge getriebene Verteidiger erledigen, während die Damen des Hauses einem Ziegelsteine und Dachpfannen auf den Kopf werfen. (So ein Dachziegel tötete Pyrrhos von Epirus mitten in seinem letzten Pyrrhussieg.)

6a) Beachten Sie, dass die Stadt mittlerweile – zufällig oder aus Absicht – sehr wahrscheinlich auch noch in Flammen steht, also kämpfen Sie gegen Leute, die nichts mehr zu verlieren haben, zwischen brennenden und einstürzenden Häusern.

Ein General kann Vorkehrungen gegen all das treffen und trotzdem an einer ganz einfachen Sache scheitern. In den 70er-Jahren v. Chr. belagerte der pontische König Mithridates Kyzikos, da warf eine einzige Nacht mit starkem Wind seine nicht mit Seilen abgespannten Türme und seine Siegesträume zu Boden.

Die Stadt ist eingenommen

Die Selbstkontrolle der Soldaten hat verständlicherweise in aller Regel gelitten, wenn sie die Stadt endlich eingenommen haben. Grausige Szenen spielen sich bei der Plünderung einer Stadt ab, doch ein kluger General lässt den Dingen stunden- oder gar tagelang ihren Lauf, bis er seine Truppen wieder an die Kandare nimmt – nicht zuletzt, weil es gut möglich ist, dass niemand auf ihn hört, wenn er es früher versucht.

> Manche wurden von der Infanterie niedergehauen, als sie durch die schmalen Torwege hinausdrängten. Manche schafften es aus den Toren, wurden aber von der Kavallerie getötet. Niemand war am Beutemachen interessiert. Die Männer waren durch [das vorausgehende Massaker an Römern in] Cenabum und die Anstrengungen der Belagerung so aufgebracht, dass man nicht die vom Alter Gebeugten schonte, auch nicht Frauen oder Kinder. Von der gesamten Bevölkerung, die rund 40 000 zählte, gelangten kaum 800 [...] mit heiler Haut zu Vercingetorix.
>
> (Die Römer erobern Avaricum im Jahr 52 v. Chr.)
>
> Caesar, *Der Gallische Krieg* 7,28, 3–5

Die Römer gehen beim Plündern so methodisch ans Werk wie bei allen anderen Tätigkeiten auch. Eventuelle Überlebende des Blutrauschs nach dem Angriff werden zusammengetrieben und üblicherweise als Sklaven verkauft. Die Beute aus der Stadt wird zusammengetragen und später nach einem gerechten Schlüssel verteilt. Je nach Lage der Dinge verbringt die Legion dann vielleicht noch eine Woche damit, die

Stadtmauern dem Erdboden gleichzumachen und die paar Ecken des Landes zu verwüsten, die die Fouragetrupps verschont haben. Dann zieht die Armee weiter, nicht mehr so zahlreich, aber deutlich reicher.

> Sie hatten Befehl, jeden auszulöschen, dem sie begegneten, und keinen zu schonen, aber nicht zu plündern, bis man das Zeichen dazu gab. [...] Wenn die Römer eine Stadt eingenommen haben, sieht man außer Menschenleichen oft auch entzweigehauene Hunde und abgehackte Körperteile anderer Tiere.
>
> Polybios, *Historien* 10,15,4–5

Die Armee hat zwar manchen Legionär verloren, dafür aber vielleicht neue – überirdische – Gesellschaft gewonnen, wenn sie abrückt. Verhandlungen können die Götter der Stadt einbeziehen, wenn sich die römischen Priester zu einem *evocatio*-Ritus entscheiden. Damit lädt man die Götter ein, eine todgeweihte Stadt zu verlassen und ihren Wohnsitz in Rom zu nehmen.

Nicht alle Stadtgottheiten bekommen so ein Angebot. Vielleicht verehren die Römer den betreffenden Gott schon und zählen deswegen auf seine Neutralität, oder aber die Riten für den Gott sind zu pervers (wie bei ein paar syrischen Religionen) oder blutrünstig (Germanen). Die Entscheidung, einen neuen Gott nach Rom zu holen, fällt auf höchster Ebene, und nur die Römer finden nichts Ungewöhnliches daran, einem Gott quasi ein Vorstellungsgespräch anzubieten.

De re militari

- Um die Moral der Verteidiger von Praeneste im Jahr 82 v. Chr. zu zerrütten, ließ Sulla die auf Stangen gesteckten Köpfe feindlicher Generäle entlang der Belagerungslinien zur Schau stellen.
- Als Caesars Männer Pompeius belagerten, suchten sie ihren Hunger zu stillen, indem sie Kuchen aus Gras backten.
- Als die Römer Ende des 5. Jahrhunderts v. Chr. Falerii belagerten, lieferte ein verräterischer Schulmeister alle Söhne des Stadtadels als Geiseln an die Römer aus. Die schockierten Römer gaben sie augenblicklich frei und überreichten den Lehrer den Jungen zur Bestrafung.
- Der pontische König Mithridates belagerte Kyzikos 74 v. Chr., und seine Belagerer wurden ihrerseits von den Römern belagert. Von der Versorgung abgeschnitten, verfielen einige pontische Soldaten angeblich auf Kannibalismus.
- Damit der Feind sich nicht rechtzeitig duckte, malten römische Belagerungsingenieure ihre Geschosse manchmal an, um sie schlechter sichtbar zu machen.
- Der griechische Erfinder Archimedes benutzte viele raffinierte Vorrichtungen, um die Römer während der Belagerung von Syrakus zu quälen, darunter Schnellfeuer-Armbrüste und Haken an langen Auslegern, die römische Schiffe versenkten. Am Ende genügte es, nur ein Tauende über die Stadtmauern zu hängen, damit Panik unter den Legionären ausbrach.
- Roms Feind Philipp V. von Makedonien war so gut im Unterminieren von Mauern, dass er einmal eine Stadt zur Kapitulation brachte, indem er einen Erdhaufen auftürmen ließ und den Verteidigern mitteilte, ihre Mauern seien untergraben.

X Die Schlacht

Tela vocari amica minime possunt,
nam necesse est quidquam in te iniectum hostile esse.
Freundliches Feuer gibt es nicht – alles,
was man auf dich wirft, ist definitionsgemäß feindlich.

Für jeden Legionär im aktiven Dienst ist das der große Moment. Endlich, nach monate- oder jahrelangem Training, ist der Augenblick da, um das zu tun, was die Legion am besten kann – dem Feind in offener Feldschlacht entgegenzutreten und ihn zu Gulasch zu verarbeiten. Das sind die entscheidenden Momente im Legionärsleben, und das nicht nur, weil es, wenn alles schlecht läuft, auch die letzten Momente sein werden. Dass Sie in einer großen Schlacht kämpfen, ist etwas, das Sie Ihren Enkelkindern erzählen werden, eine Gelegenheit, in die Geschichte einzugehen. Wenn einst der Name des Schlachtfelds fällt, horcht der Legionär auf und bemerkt: „Ach, diese Schlacht? An die erinnere ich mich. Ich war dabei."

Schritt 1 – Einleitung zum Blutvergießen

Weil man die Feindaufklärung in der römischen Armee ernst nimmt, hat der General in der Regel schon eine gute Vorstellung von der Position der feindlichen Armee, wenn sie noch 30 km oder weiter entfernt ist. Zusätzliche Patrouillen sind ausgeschwärmt, um das Terrain zwischen beiden Armeen nach einem Ort zu erkunden, der sich dafür anbietet, den Gegner zum Kampf zu stellen. Es ist gut möglich, dass der Kommandeur die Späher begleitet, um sich das Gelände und die Gegenseite selber anzusehen. (Tatsächlich wurde der römische General Claudius Marcellus während so einer Erkundungsmission im Krieg mit Hannibal getötet.)

Der General kann auch Patrouillen ausschicken, die gezielt ein kleineres Gefecht provozieren sollen, um die Stimmung des Feindes zu testen. Sobald klar ist, dass der Gegner zur Schlacht entschlossen ist, ermittelt man Orte, an denen mit feindlichen Hinterhalten gerechnet werden muss, und auch die Möglichkeit, ein paar böse Überraschungen im römischen Sinn vorzubereiten. Im Kommandeurszelt herrscht ein ständiges Kommen und Gehen von Boten, subalternen Offizieren und Zenturionen. Die Sanitäter werden ihren Bandagenvorrat aufstocken und Instrumente schärfen, deren Funktion jeder Legionär nie kennenlernen zu müssen betet.

Manchmal kann dieser gespannte Zustand tagelang andauern, während die feindlichen Heere in Sichtweite lagern. Es kann vorkommen, dass die eine Armee ausrückt und sich in Schlachtordnung aufstellt, die andere aber im Lager bleibt. Oft scheinen diese Verzögerungen für Soldaten, deren Nerven sowieso gespannt wie Bogensehnen sind, unerklärlich. Waren die Vorzeichen beim Opfer schlecht? Begünstigt der Boden die eine oder andere Seite zu stark? Wartet einer von beiden (hoffentlich die Römer!) auf das Eintreffen von Verstärkung?

> Jeden Tag führte Caesar seine Armee auf geeignetes Gelände und stellte sie in Formation auf, um zu sehen, ob Pompeius zu einer Entscheidungsschlacht gewillt war.
>
> Caesar, *Der Bürgerkrieg* 3,56,1

Wenn die Soldaten morgens antreten, richten sich alle Blicke auf das Generalszelt, das *praetorium*. Weht eine rote Fahne, wird der Kommandeur heute die Schlacht anbieten, und die Legionäre verlassen mit gewienerten Rüstungen, geschärften Schwertern und polierten Helmen die Tore, um in Stellung zu gehen. Wenn der Feind auf der Gegenseite

Traian feuert die Truppen an. Der Kaiser trägt den markanten roten Umhang eines römischen Generals, der sich zur Schlacht bereitmacht. Seinen Worten folgen die Feldzeichenträger aufmerksam, die besonders wichtig dafür sein werden, während des nahen Handgemenges Ordnung und Kampfmoral der Soldaten aufrechtzuerhalten.

in Aufstellung geht, dann atmen Sie tief ein und versuchen Sie Ihr Frühstück unten zu behalten. Das Warten ist vorüber, und bis zum Abendessen werden viele Leute tot sein.

Während Sie in Reih und Glied warten, hören Sie genau auf die Ansprache des Generals. Wenn Sie sie gut verstehen können, ist das ein schlechtes Zeichen. Die Rede des Feldherrn ist ein wichtiger Moralverstärker. Weil ihn ungefähr eine Legion auf einmal verstehen kann, ist die Legion, der er vor der Schlacht die meiste Aufmerksamkeit widmet, auch die, die eine hohe Kampfmoral am dringendsten brauchen wird, wenn das Gemetzel beginnt.

Nun glaubte Titus, dass die Begeisterung von Soldaten im Kampf sich hauptsächlich durch Hoffnung und Redekunst wecken lässt. Appelle und Versprechen verblenden Männer so, dass sie sogar höchste Risiken eingehen – ja, manchmal gar den Tod verachten. Also sammelte er seine Tapferen und versuchte herauszufinden, was in ihnen steckte.

Josephus, *Der Jüdische Krieg* 6,33 (6,5,1)

Aus Legionärsperspektive sollte der Feldherr im Idealfall eine ferne Gestalt auf einem Pferd sein, nur sichtbar über mehrere Reihen Helme hinweg, und seine Ansprache ein paar undeutliche Sätze, die ihn dank zufälligen Windstößen erreichen. Denken Sie aber daran, tüchtig zu jubeln, wenn er fertig ist. Der Feind soll wissen, dass Sie zuversichtlich sind und am Ausgang keine Zweifel haben.

> Er stellte seine Rhetorik darauf ab, den Mut der verschiedenen Legionen zu wecken. Die Männer der Legio XIV nannte er die Bezwinger Britanniens, die Legio VI, sagte er, hatte Galba erst zum Kaiser gemacht. Und die Legio II werde in dieser Schlacht ihre neuen Feldzeichen und ihren Adler einweihen. Während er weiter die Reihen entlangritt, appellierte er an die germanischen Auxilia […] Alle jubelten lauter als sonst.
>
> (Petillius Cerialis rüttelt die Truppen zum Kampf gegen die Germanen auf.) Tacitus, *Historien* 5,16,3

Schritt 2 – der Startschuss (und zwar buchstäblich)

Es ist nicht Sache eines Legionärs, in der Schlacht, an der er teilnimmt, irgendein sinnvolles Muster zu erkennen. Weil aber das, was von Freund und Feind an Truppen zu sehen ist, eine Menge Informationen über die Aussichten, den Sonnenuntergang zu erleben, liefert, ist es ratsam, sich ein grobes Bild von der Schlachtaufstellung zu machen. Es ist ein hervorragendes Zeichen, wenn die Auxiliarinfanterie als erste Angriffswelle aufgestellt wird. Römische Generäle opfern ungern römische Leben, und wenn es so aussieht, als wäre der Fall ausschließlich mit den Auxilia zu erledigen, dann wird der General das auch als Erstes versuchen. Erinnern Sie sich, dass die Auxilia nur im Vergleich mit den Legionen Leichtbewaffnete sind. Gemessen am barbarischen Durchschnittsfeind sind sie schwere Infanterie, die sowohl durch ihre Bewaffnung als auch durch ihr Training eine Macht darstellen.

Wenn die Armee tief gestaffelt in einer Verteidigungsstellung formiert wird, dann geht es gleich richtig hart zur Sache. Tiefe Aufstellung bedeutet, dass der General davon ausgeht, die Kohorten physisch und auch in puncto Kampfmoral unter Druck kommen zu sehen. Vergleichen Sie zum Beispiel zwei Schlachten gegen die Briten. In der Entscheidungsschlacht gegen Boudicca – die bis dahin jedes Gefecht mit den Römern gewonnen hatte – standen die Legionen defensiv und tief gestaffelt auf einer Anhöhe und ließen den britischen Ansturm sich an ihren Reihen brechen. Am Mons Graupius in Kaledonien, als die Armee vor Selbstvertrauen strotzte, griffen die römischen Auxilia bergauf an und warfen den Feind nieder, ohne dass die Legionäre mehr tun mussten, als der Technik der Auxiliare Beifall zu klatschen.

Wegen der Bandbreite von Roms Feinden und der Vielfalt, die die verschiedenen Feldherren und Gelände hervorbringen, gibt es keinen typischen Schlachtverlauf. Trotzdem ist es gute Sitte, die Dinge durch einen Schusswechsel zwischen den leichten Truppen und ein paar Kavalleriescharmützel auf den Flügeln ins Rollen zu bringen. (Römische Kommandeure behalten den Schlachtverlauf bei der Kavallerie gut im Auge. Während Roms größter Niederlage aller Zeiten, 216 v. Chr. bei Cannae, wurde die römische Kavallerie aus dem Feld gejagt, worauf die feindliche Reiterei kehrtmachte und der römischen Armee in den Rücken fiel, die damit völlig umzingelt war.)

In diesem frühen Stadium bekommen diejenigen, die sich später mitten im Getümmel finden werden, eventuell einen zarten Hinweis darauf, wenn Pfeile aus dem Himmel fallen, abgefeuert von Bogenschützen in gut 100–150 m Entfernung. Die Pfeile sind selten tödlich, wenn Sie daran denken, den Schild bis auf Halshöhe anzuheben, aber sie können unangenehme Wunden in unbedeckten Gliedmaßen verursachen. Halten Sie unter Pfeilbeschuss aus großer Reichweite den Kopf gesenkt. Ein gebeugter Kopf kann den Unterschied zwischen einem Pfeil, der von der Helmoberseite abprallt, und einem, der sich Ihnen ins Auge gräbt, bedeuten.

Geht das Gefecht gegen jemanden, der im Kampf gegen Römer unerfahren ist, kann ein feindlicher Anführer auf die Idee kommen, mit einer heftigen Kavallerieattacke eine Kohorte auseinanderzusprengen. Der Anblick mehrerer hundert halb wahnsinniger Pferde, die auf einen zudonnern, ist ein wahrhaft Schrecken erregendes Bild. Doch während ein unerfahrener Soldat noch überlegt, ob er alles hinwerfen und um sein Leben laufen soll, preist ein Legionsveteran schon Jupiter, dass er die Feinde in ihre Hände gegeben hat. Kavallerie hat keine Chance gegen disziplinierte Infanterie, weil die Pferde schlicht nicht in sie hineinrennen werden. Wenn die Soldaten ruhig in der Reihe bleiben, kommen die Pferde vor ihnen zum Stehen, und anschließend wird sich die Versicherung des Ausbilders, dass ein gut gezielter *pilum*-Hagel eine Kavallerieattacke an einen toten Punkt bringen kann, buchstäblich bewahrheiten.

Außerdem wird der gut gerüstete römische Feldherr nicht tatenlos dasitzen. Römische Schützen können die feindlichen berittenen Schützen und Schleuderer vertreiben, und die hässlichen Feldgeschütze, die sich Skorpione nennen, treten in Aktion. Die langen Hochgeschwindigkeitsbolzen sind darauf berechnet, die Moral des Feindes zu drücken, indem sie jeden, der einen besonders hübschen Panzer trägt, auf den drei Leuten festnageln, die hinter ihm stehen. Der Anblick der Wirkung stärkt garantiert das Herz des Legionärs, wenn man für seinen Magen auch nicht dasselbe behaupten kann.

Der Lärm, vor allem der aus den feindlichen Linien, steigert sich inzwischen in stetigem Crescendo. Die Barbaren lieben das Hornblasen. Falls man heutzutage den keltischen *carnyx* überhaupt auf einem

Schlachtfeld hört, dann gehört der einer römischen Auxiliareinheit, aber auch die Daker haben etwas Ähnliches. Die Parther bevorzugen eine Art Pauke, die vor sich hin pocht wie Zahnschmerzen, während die Germanen a cappella mit ihrem *barritus* loslegen, einem rauen Kriegsgeschrei, für das sie die Bässe hochdrehen, indem die Krieger sich beim Brüllen die Schilde vors Gesicht halten. Nehmen Sie dazu noch das schrille Geschrei einzelner Krieger, wenn sie sich für den Angriff aufpulvern, und im Fall solcher Völker wie der Briten das trillernde Geheul der Frauen des Stammes, die ihre Mannsleute anfeuern. Mittendrin in all dem Getöse wahren die Römer gern grimmiges Schweigen und geben sich dem Glauben hin, dass das den Feind verunsichert. Ab und zu kommt das scharfe Kommando eines Zenturios und hoffentlich auch ein Schmerzensschrei, wenn der besagte Zenturio einen Pfeil in den Zeh kriegt. In Übereinstimmung mit der römischen Tradition, aus der ersten Reihe zu führen, stehen manche Zenturionen ganz vorn, weshalb ihre Verlustrate in der Schlacht deutlich höher liegt als die des Durchschnittslegionärs.

> In Caesars Armee diente ein Freiwilliger namens Crastinus, der im Vorjahr der *primus pilus* der X. Legion gewesen war, ein Mann von einmaliger Tapferkeit. Als das Signal [zum Angriff] gegeben wurde, sagte er [...]: „General, ich werde mich heute so verhalten, dass du mir dankbar sein wirst, ob ich lebendig oder tot bin.“ [...] Der oben schon erwähnte Crastinus, der mit äußerstem Mut kämpfte, fiel ebenfalls, durch einen Schwertstoß genau ins Gesicht.
>
> Caesar, *Der Bürgerkrieg* 3,91,1.3; 99,2

Schritt 3 – Nahkampf

Man kann nicht sagen, wie lange das ganze Vorspiel dauern wird, aber früher oder später – und normalerweise bei der ersten sich bietenden Gelegenheit – gibt der General das Zeichen, und die Kohorten rücken in jenem langsamen, überlegten Schritt vor, der eine Attacke in die gedrängten Reihen des Feindes einleitet.

Den Anstoß zur Attacke gibt ziemlich oft, dass der Feind dasselbe vorbereitet. Falls ein römischer General nicht ganz blutige Anfänger befehligt, zieht er es in der Regel vor, den Angreifer mit einer Gegenattacke zu treffen. Das alles wird sogar dem unerfahrensten Legionär bekannt vorkommen, hat er doch jede Bewegung so oft geübt, dass er sie im Schlaf kann (und sie manchmal auch praktisch im Schlaf ausgeführt hat, nach einer Nachtwache, der einen Tag lang Schinderei beim Exerzieren folgte). Wie der jüdische General Josephus bemerkte: „Römische Schlachten sind bloß Übungen mit zusätzlichem Blutvergießen." Laufschritt, langsam, *pilum* hoch, Doppelschritt und – Schuss. Unnötig, sich ein bestimmtes Ziel auszusuchen – wenn da drüben eine Menge Feinde steht, treffen Sie schon wen, und wenn es keine große Menge ist, sind die sowieso geliefert. Ein langgezogenes Zischen läuft die ganze Reihe entlang, als mehrere hundert Schwerter aus den Scheiden fahren, und dann endlich: Attacke!

> Dann gab es ein ohrenbetäubendes Jubeln; die Kavallerie umging den Feind und die Infanterie brach in die feindliche Front ein. Auf den Flügeln trafen sie nur auf kurzen Widerstand. Die schwer gepanzerten Krieger waren ein größeres Problem, weil die Eisenplatten den *pila* und Schwertern widerstanden; aber unsere Männer ergriffen Beile und Schanzwerkzeuge, und als schlügen sie auf eine Mauer ein, zerhackten sie Rüstungen und Körper zugleich.
>
> Tacitus, *Annalen* 3,46,3

Jetzt endlich bricht die Legion ihr Schweigen und stimmt ein Mordsgebrüll an, während ihre ersten Reihen in vollem Lauf die letzten Meter zurücklegen. Weil die Legion bis jetzt in guter Ordnung vorgerückt ist, treffen die angreifenden Römer als eine solide Wand aus Stahl auf den Feind. Umgekehrt kann die Gegenseite um einiges weiter verstreut stehen, weil sie ihren Angriff in wildem Lauf begonnen hat, mit den Schnellsten und Dümmsten weit vorn. (Oder, wenn Sie lieber wollen, den Schnellsten und Tapfersten. Auf dem Schlachtfeld ist die Ähnlichkeit zwischen beiden hoch.)

Zur Eigenart einer Legionärsattacke gehört, dass die ersten Feinde nicht einmal in den „Genuss" eines Schwertkampfs kommen – sie kriegen einen massiven Bodycheck ab, von einem Legionär, der seine Schulter hinter dem Schild hat, während die beiden Männer in vollem Lauf zusammenprallen. Wenn alles gut geht, wirft das den Feind glatt um, und ein kurzer Stich nach unten von jemandem in der zweiten Reihe der Kohorte erledigt ihn, während die Linie vorrückt.

Nun wird die feindliche Aufstellung dichter, und es ist Zeit, geistig auf den Gefechtsdrill-Modus umzuschalten. Stoßen Sie den Schildbuckel ins Gesicht des Feindes, und während er seine Deckung aufgibt, stechen Sie fest und schräg nach oben mit der Schwertspitze in seinen Bauch. Denken Sie dran, das funktioniert sogar bei Schuppenpanzern, wegen des Stichwinkels – aus der Sicht einer energisch vorgestoßenen Schwertspitze ist ein Kettenpanzer nur eine lockere Ansammlung von Löchern. Drehen Sie das Schwert in der Wunde und ziehen Sie es heraus, wobei die sorgsam geformte Schneide die Wunde noch vergrößert.

Mit der Zeit wird die Schlachtreihe unweigerlich etwas unordentlicher, aber Ihr Job als ausgebildeter Legionär ist es, ein Auge auf Ihre Nebenmänner rechts und links zu halten. Fallen Sie nicht so weit zurück, dass Sie sie nicht decken können – vor allem den Mann zur Linken, der Sie vielleicht braucht, um auf seine schildlose Seite aufzupassen – und lassen Sie sich nicht dazu hinreißen, sich aus ihrem Schutz heraus nach vorn zu werfen. Und denken Sie daran, wenn Sie beinahe Schulter an Schulter mit Ihren Kameraden kämpfen, sind wilde Schwerthiebe für jeden in Ihrer Nähe gefährlich, nicht nur für den Feind. In der Formation halten Sie es am besten einfach und stechen bloß zu. Nur falls Sie irgendwie vom Feind umzingelt werden, können Sie anfangen, in alle Richtungen um sich zu schlagen wie ein Berserker.

Egal was Sie tun, halten Sie Schwert und Schild gut fest. Nicht nur kann es fatale Misslichkeiten geben, wenn Sie eins von beiden im Gedränge verlieren, sondern auch peinliche Fragen vom Zenturio nach

Legionäre, die eine Gruppe barbarischer Stammeskrieger angreifen. Wie die Legion aufgestellt ist, hängt vom Feind und vom Gelände ab, aber ein guter General wird möglichst den Umstand ausnutzen, dass die Fähigkeit der Legionäre, Schulter an Schulter zu kämpfen, ihnen eine punktuelle Überlegenheit über die Barbaren verleiht.

Kavallerie beim Umgehen
der feindlichen Flanke
Militärtribunen,
die die Entwicklungen
verfolgen
Lose formierte
Legionäre,
fünf Mann tief
Reserven in Bereitschaft

der Schlacht. Niemand will in Verdacht geraten, seine Waffen absichtlich weggeworfen zu haben, um sich davonzumachen. Das kann so entehrend werden, dass es überlieferte Fälle von Leuten gibt, die einen Schild oder ein Schwert verloren und ihre Freunde dann überredeten, ihnen zu helfen, als sie sich zurück in die feindlichen Reihen stürzen, um die fehlenden Stücke aufzusammeln.

> Er bemerkte, dass ihm das Schwert aus der Scheide gefallen war, und warf sich, weil er die Schande fürchtete, wieder unter die Feinde. Zwar erhielt er eine Reihe von Wunden, aber am Ende gewann er sein Schwert zurück und kehrte zu den anderen zurück.
>
> (Der Sohn Catos des Censors in der Schlacht bei Pydna, 168 v. Chr.)
>
> Frontinus, *Strategeme* 4,5,17

Der Adrenalinschub durch den drohenden Tod lässt Ihnen in den ersten paar Minuten Schild und Schwert zauberhaft leicht vorkommen, und nichts bringt einen so sehr zum restlosen Einsatz wie der erste Zusammenprall. In dieser Atmosphäre stellt jeder, der ein bisschen Kraft für später aufspart, wahrscheinlich fest, dass es für ihn persönlich kein Später gibt. Wenn sich der Kampf aber als mühsame Plackerei hinzieht, dann fällt es einem Legionär, soweit er überhaupt Zeit zum Nachdenken hat, vielleicht auf, dass es ziemlich schlau war, lange Übungsstunden mit dem Loshacken auf einen Holzpfahl zu verbringen. Ansonsten wäre ein erschöpfter Schwertarm inzwischen schon abgefallen, vermutlich mit Unterstützung eines Barbarenschwerts.

Wenn der Feind nach gut fünf bis zehn Minuten noch hartnäckig ist, bedeutet das ein Problem. Weil eine Legion in die Gegenrichtung schiebt, sollte der Gegner allmählich nachgeben. Aus der Perspektive von jemandem in den ersten Reihen wäre es jetzt Zeit, dass jemand anders die Last auf sich nimmt. Ein verwundeter oder todmüder Legionär hat eine Option, die den Männern, die gegen ihn kämpfen, nicht offensteht. Indem er seinen Schild vor sich hält und dann seinen Körper hinter dem Schild dreht, kann er einen Schritt zurück nach rechts machen und jemanden aus der zweiten Reihe von links her einfach an seine Stelle treten lassen. Das geschieht häufiger, wenn der Kampf nachlässt und beide Seiten ein paar Schritte zurückgewichen sind. Alle, die jetzt aus den ersten Reihen ausscheiden, sollten sich die Zeit nehmen und nachsehen, wie viel von dem Blut, das über ihre Rüstung und ihre Beine gespritzt ist, ihnen gehört. In der Hitze des Gefechts können Soldaten erstaunlich schwere Wunden wegstecken, die sie erst bemerken, wenn andere sie darauf hinweisen.

> Ein Kavallerist wurde mit einer schweren Wunde aus dem Gefecht getragen, in der Hoffnung, er könnte genesen. Doch erfuhr er, dass die Wunde nicht zu heilen war. Als er das entdeckt hatte, stürzte er, solange der Wundschock ihn noch nicht getroffen hatte, aus dem Sanitätszelt zurück aufs Feld und starb dort, nachdem er heldenhafte Taten vollbracht hatte. (Szene aus dem Dakerkrieg von 105 n. Chr.)
>
> CASSIUS DIO, *Römische Geschichte* 68,14,2

In solchen Fällen ist es Zeit, durch die Reihen dahin zurückzustolpern, wo die Ärzte hinter der Einheit warten, oder nach den Feldzeichen der Einheit Ausschau zu halten. Wenn die nicht da sind, dann geht gerade etwas richtig schief. Wahrscheinlicher ist aber, dass sie stetig vorrücken, durch die unwiderstehliche Kraft der römischen Waffen vorwärtsgetragen. Alles in allem stehen die Krieger mit der größten Kampferfahrung, der besten Rüstung und der höchsten Moral in der ersten Reihe. Wenn Sie erst durch diese harte Schale kommen, ist das Zerschlagen der hinteren Reihen normalerweise eine relativ glatte Sache.

Wenn der Nahkampf zu Ende ist, verfolgen Sie die fliehenden Feinde. Sehen Sie sich aber zuerst gut um. Ein Sieg in der unmittelbaren Umgebung besagt noch nichts über die Lage anderswo. Bevor Sie in aufgelöster Formation dem Feind nachsetzen, sollten Sie auf die Trompetensignale hören, die – zum Beispiel – mitteilen, dass sich eine Schwadron feindlicher Kavallerie formiert, um Ihnen in die Flanke zu fallen. Im Allgemeinen ist es – wenn nicht feststeht, dass die Flucht des

Feindes auf ganzer Linie stattfindet – eine gute Idee, sich zu sammeln, auf den Schild zu stützen und zu verschnaufen. Üblicherweise steht eine zweite Linie Infanterie in Reserve, um einen Durchbruch auszunutzen, also lassen Sie die ruhig vorbeiströmen und das noch verbleibende Gefecht übernehmen. Lassen Sie die Jungs im Sattel den fliehenden Feind aufspüren und metzeln – die können das hoch zu Ross viel besser. Entspannen Sie sich, genießen Sie das sonderbar berauschende Gefühl, am Leben zu sein, mit nichts außer befreundeten Schilden um sich herum, und hören Sie, wie das Gebrüll und die Schmerzensschreie langsam schwächer werden und ferner rücken, während die Kavallerie vorbeidonnert, um den Sieg zu vollenden.

Schritt 4 – das Nachspiel

Gallische und germanische Auxiliare, an deren Gürteln die Köpfe von Feinden baumeln, kommen allmählich zurückgetrabt. Feindesköpfe sind so gefragt, dass man gelegentlich einen Soldaten sehen kann, der beim Kämpfen einen Kopf mit besonderem Sammlerwert mit den Zähnen festhält. Selbst unter den Legionären sieht sich jeder, sobald er wieder genug Luft hat, nach ein paar Andenken um, etwa nach verzierten Gold- und Silberbroschen, einem besonders schmucken Gürtel oder sogar ein, zwei Geldbeuteln. Erinnern Sie sich aber, dass das Plündern eines Schlachtfelds und des feindlichen Lagers eine Gemeinschaftsaktion sein soll. Nicht nur die, die am Ende des Tages noch stehen können, sondern auch alle Verwundeten haben ein Anrecht auf einen Teil der Beute.

Wenn sonst nichts den Blutfluss zum Stehen bringt, muss man beiderseits der Verletzung die Adern zu fassen bekommen und abbinden [...] und wenn selbst das nicht möglich ist, so kann man die Adern mit glühendem Eisen verbrennen.

Celsus, *De medicina* 5,26, 21 C

Man könnte denken, dass derart bluttriefende „Souvenirs" eine begrenzte Haltbarkeit haben, aber die Gallier kennen zum Beispiel Methoden, sie zu konservieren, und der Schädel mindestens eines römischen Generals hat sein Dasein als gallischer Trinkbecher beendet.

Die Verwundeten haben Glück, dass die römische Feldmedizin eindrucksvoll fortschrittlich ist. Schließlich können sich ihre Vertreter auf 700 Jahre Erfahrung stützen. Eine lange Schlange, die ärztliche Hilfe benötigt, gibt es auch nicht unbedingt. Die Verluste in einem siegreichen Kampf können überraschend gering ausfallen, denn die meisten Blessuren holt sich eine Armee, sobald sie geschlagen ist und die Männer auf der Flucht abgestochen werden. Wenn der Tag andererseits richtig mies gelaufen ist, sind die Verwundeten meistens auf sich gestellt, während die Überlebenden versuchen, mit heiler Haut ins sichere Lager zurückzukommen. Wunden gibt es überwiegend auf der rechten (vom Schild ungedeckten) Seite, besonders am Bein. Einen Schwerthieb behandelt üblicherweise ein Sanitäter, genannt *capsarius*

Kaiser Hadrian inspirierte die Truppen durch das Vorbild seiner eigenen Ausdauer […] und besuchte die kranken Soldaten in ihren Unterkünften.

Historia Augusta, Leben Hadrians 10, 2.6

nach seiner *capsa*, einer Ledertasche mit Verbandszeug und Medikamenten. Dieser Mann reinigt die Wunde, häufig mit Wein, Essig oder Olivenöl, vernäht sie dann und umwickelt sie mit einer Leinenbinde. Die medizinischen Instrumente werden regelmäßig sterilisiert und nach Gebrauch gereinigt.

Pfeilwunden werden an den *medicus* überwiesen, einen Mann mit viel medizinischer Erfahrung im Rang eines Zenturio. Er hat spezielle Instrumente zum Entfernen von Pfeilen mit Widerhaken und ist

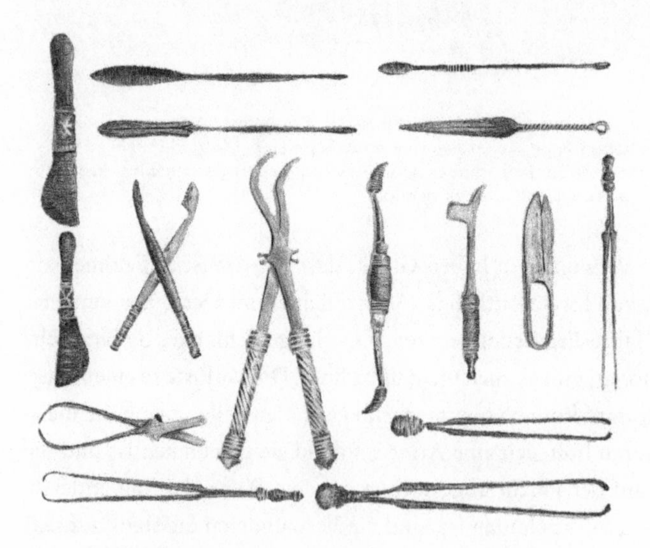

Chirurgenbesteck. Zwei Kategorien von Militärangehörigen wissen, wozu die Instrumente da sind – einerseits der *medicus* und seine Helfer, andererseits die Unglücklichen, die sich nach der Schlacht auf dem Operationstisch wiederfinden.

Verwundete werden auf einem Feldverbandsplatz zusammengeflickt. Die poetische Idealvorstellung lautet *dulce et decorum est pro patria mori* („süß und ehrenvoll ist es, für das Vaterland zu sterben"), aber das muss ja nicht wegen schlampiger oder unzureichender medizinischer Versorgung passieren.

auch imstande, durchtrennte Sehnen zusammenzuklammern. Die Ärzte haben ein abschreckendes Arsenal an Zangen, Sonden, Skalpellen und anderen Werkzeugen, die ihnen sogar „heroische" Operationen – Operationen in der Brust- und Bauchhöhle – mit einer gewissen Überlebenschance gestatten. Mohnsaft ist ein bekanntes Opiat, das man wirkungsvoll einsetzt, ebenso Bilsenkraut (enthält Scopolamin). Trotz dieser Narkotika sind solche Operationen, die Amputationen einschließen, verantwortlich für einige der durchdringenderen Schreie vom Verbandsplatz.

Die Lazarette selbst sind meistens hell, still und sauber, und so gut wie sicher macht der Kommandeur persönlich einen Besuch, um sich zu überzeugen, dass alles in Ordnung ist, und die Verwundeten für ihre Tapferkeit zu loben. Die Wunden werden regelmäßig inspiziert und die Verbände gewechselt; es gibt Gelegenheit zu leichten Übungen, die die Erholung beschleunigen sollen. Kurz gesagt zählt die römische Armee zu den besseren Adressen für verwundete Helden.

Die Abrechnung

Wenn sich der Staub der Schlacht gelegt hat, setzt man gefangene Gegner zum Aufräumen des Schlachtfeldes ein, falls der römische Feldherr nicht will, dass die gefallenen Feinde als schreckliche Warnung unbestattet liegen bleiben. Die Namen der im Kampf gefallenen Römer werden sorgfältig in die Legionsunterlagen eingetragen, und ihre Leichen erwartet eine Verabschiedung ins Jenseits mit aller gebotenen Feierlichkeit.

Bald nach der Schlacht bespricht sich der Kommandeur mit seinen Offizieren und lässt die Männer antreten. Jetzt wird die dem Feind abgenommene Beute – die von den Leichen und die aus dem Lager – verteilt, und der General hebt diejenigen eigens hervor, die sich im jüngsten Gemetzel besonders ausgezeichnet haben.

> Nach einer Schlacht [...] versammelt der General die Truppen und ruft die nach vorn, die, wie er findet, besondere Tapferkeit bewiesen haben. Zuerst lobt er die mutigen Taten jedes Mannes und alle weiteren Punkte in ihrer bisherigen Laufbahn, die Anerkennung verdienen.
>
> Polybios, *Historien* 6,39,2

An dieser Stelle können auch offizielle Ehrenzeichen verteilt werden, besonders wenn die Schlacht den Feldzug beendet hat (das ist oft der Fall, es sei denn, der Feind kann noch auf eine andere große Armee zurückgreifen und möchte auch die verlieren). Die höchsten Auszeichnungen, die ein Soldat bekommen kann, sind Kränze und Kronen, aber meistens sind diese – beispielsweise der Graskranz für die Rettung einer Armee – den hohen Offizieren vorbehalten. Alles in allem wird der Mut des Durchschnittslegionärs mit *torques* (Halsringen), *armillae* (Armreifen) und *phalerae* (getriebenen Metallscheiben, die man auf der Uniform trägt) belohnt. Auch diese Ehrenzeichen sind nur für Bürgersoldaten, obwohl Auxiliare sie sich manchmal durch an Selbstmord grenzende Taten verdienen können.

> In diesem Gefecht gewann Rufus Helvius, ein einfacher Soldat, die Ehre, das Leben eines Bürgers zu retten, und wurde von Apronius mit mehreren *torques* und einem Speer belohnt. Der Kaiser fügte die *corona civica* (einen Kranz aus Eichenlaub für die Rettung eines Bürgers) hinzu [...]
> TACITUS, *Annalen* 3,21,3

Es lohnt sich wirklich, militärische Auszeichnungen zu erringen. Nicht nur verleihen sie der Rüstung bei großen Paraden besonderen Glanz, sie werten einen auch innerhalb der Einheit auf. Das wiederum bedeutet, dass ihr Inhaber viel geringere Aussichten auf Latrinendienst oder, wenn er Wache schiebt, die „Friedhofswache" (zwischen Mitternacht und Sonnenaufgang) hat. Andererseits bedeutet der Ruf besonderer Tapferkeit, dass Sie der Erste sein werden, auf den der Zenturio zeigt, wenn er Freiwillige für eine besonders gefährliche Aufgabe sucht. Wie so oft im Armeeleben hat jedes Privileg auch seine Schattenseiten.

De re militari

- Die römische Militärmedizin ist so fähig, dass man Techniken zur Entfernung von Geschossen, die römische Ärzte beschreiben, noch 1600 Jahre später verwenden wird, und römische Amputationstechniken wird man noch 1916 in Feldlazaretten hinter den Schützengräben an der Somme beobachten können.

- In der Schlacht von Chaironeia, wo Sullas 10 000 Legionäre es mit mindestens 60 000 pontischen Soldaten aufnahmen, wurde der römische Sieg laut Sullas Behauptungen um den Preis von 14 römischen Gefallenen errungen. (Aber zwei davon waren gar nicht tot und kamen später zurück.)

- In der Schlacht bei Pharsalos verlor Caesar 48 v. Chr. 200 Legionäre, aber 30 Zenturionen.

- Die *torques* sind als Halsringe entworfen, aber zur Paraderüstung trägt man sie an Schulterriemen.

- Eine *hasta pura* – ein symbolischer Speer als Andenken – wird üblicherweise nur Zenturionen oder noch Ranghöheren verliehen, aber auch ein gemeiner Soldat kann durch eine wirklich außergewöhnliche Leistung eine *hasta pura* bekommen.

- Bei Pharsalos gingen Pompeius' unerfahrene Truppen nicht zum Gegenangriff über, also hielten Caesars Veteranen auf halbem Weg im Angriff an, formierten sich neu und attackierten dann zu Ende.

XI Was kommt danach?

Sunt milites veteres. sunt milites audaces.
non sunt milites veteres atque audaces.
Es gibt alte Soldaten und es gibt wagemutige Soldaten.
Es gibt keine alten wagemutigen Soldaten.

Nach einer großen Schlacht zählen die Legionäre sorgfältig die gefallenen Feinde und warten ab, ob der General sie antreten lässt, um die Leistungen derer zu würdigen, die den Sieg errungen haben. Die Soldaten halten gespannt Ausschau, ob wohl feindliche Gesandte ins Lager kommen und um Frieden bitten. Wenn der Kaiser sich bei der Armee aufhält, ist die Spannung sogar noch größer. Es steht eine Menge auf dem Spiel. Viele Legionäre haben Rom noch nie gesehen, und die Spekulationen um die sagenumwobene Stadt auf den Sieben Hügeln wachsen jetzt ins Uferlose. Jeder will einmal Rom sehen, also hoffen sie inständig, dass sie als siegreiche Soldaten in einem römischen Triumphzug dorthin kommen.

Genau genommen müssen mehrere strenge Bedingungen erfüllt sein, bevor ein Triumph stattfinden darf. Die wichtigsten darunter sind:

1. Mindestens 5000 feindliche Kämpfer müssen in der Schlacht gefallen sein.
2. Die Schlacht muss den Feldzug beendet haben.
3. Der Feldzug muss die Größe des Römischen Reiches gemehrt haben.

Es ist wichtig, dass der Kaiser bei der Armee ist, denn erstens darf niemand außer dem Kaiser einen Triumph feiern. Der Kaiser selbst ist zwar dazu berechtigt, aber viel wahrscheinlicher wird er den Senat darum ersuchen, einen Triumph zu feiern, den seine Generäle gewonnen haben, wenn er persönlich anwesend oder zumindest in nächster Nähe war. Zweitens ist er schließlich der Kaiser. Falls die Zahl der toten Feinde bloß 4999 betrug oder der Sieg in anderer Hinsicht hinter den offiziell hohen Anforderungen für einen Triumph zurückgeblieben ist, hat der Kaiser seine Methoden, um den Senat zu überzeugen, über diese Kleinigkeiten hinwegzusehen.

Auf nach Italien!

Für die einfachen Soldaten ist die aufregendste Bedingung eines Triumphes die Vorschrift, dass nicht nur der siegreiche Kommandeur in Rom anwesend sein muss, sondern auch seine Armee. Auf einmal hat die Legion eine Alternative dazu, dakische Freischärler durch den Nieselregen eines mösischen Winters zu jagen. Und diese Alternative sind die sonnenverwöhnten Ufer Italiens und der Einzug nach Rom als glorreiche Sieger. Jammerschade, dass nicht alle hin können – die Grenzen müssen nach wie vor bewacht werden, es gibt Patrouillen durchzuführen und Straßen zu bauen.

Also sind jene, die der Kaiser mit nach Hause nehmen wird, an erster Stelle alle, die sich dem Ende ihrer Dienstzeit nähern – oder es in vielen Fällen eigentlich schon lange hinter sich haben –, und die Verletzten, deren Wunden ihnen Anspruch auf ehrenvolle Entlassung geben.

Weil die heimkehrende Armee so viele Soldaten in ihren Reihen hat, die bald ausgedient haben werden, umgibt den Rückmarsch nach Rom eine gewisse Ausgelassenheit, obwohl zwei Jahrzehnte militärischer Prägung verhindern, dass über die Stränge geschlagen wird. Die Aufregung nimmt zu, wenn die Armee sich der Stadt nähert und die großen Aquädukte der Wasserversorgung sich von den Albaner Bergen hinab über die Ebene von Latium schwingen sieht.

Wie man einen Triumph feiert

Während Rom seine Tempel mit einem Blumenmeer schmückt und sich auf eine Riesenparty vorbereitet, ruft der Kaiser ein letztes Mal seine Truppen zusammen und verteilt die Auszeichnungen, Belobigungen und Beuteanteile, die sie sich während des Feldzugs verdient haben.

Manchmal, nach einem besonders spektakulären Sieg, hat der Kaiser die Beute vorausgeschickt, die er für den Staat gemacht hat, und außerdem Bilder und Modelle von Ereignissen des Feldzugs. (Es kann mehrere Tage dauern, das alles in den Straßen Roms zur Schau zu stellen.)

Schließlich treten die Legionen beim Tempel der Bellona auf dem Marsfeld an, um zur Porta Triumphalis vorzurücken, einem Stadttor, das ausschließlich für Triumphzüge bestimmt ist. Der Ablauf eines Triumphes steht fest – er soll schon uralt gewesen sein, als Vater Romulus ihn vor beinahe tausend Jahren von den Etruskern übernahm.

Am Tor empfängt der Senat den Triumphator (also den siegreichen General). Dieser Mann fährt im turmartigen Triumphwagen, neben sich auf Pferden seine männlichen Nachkommen (falls vorhanden). Der Triumphator trägt das traditionelle Purpurgewand Jupiters und sein Gesicht ist rot bemalt, eine Nachahmung der ältesten Statue dieses Gottes. Um sicherzustellen, dass der Unterschied zwischen Jupiter nachahmen und Jupiter sein klar wird, steht ein Sklave hinter dem Sieger, hält einen Lorbeerkranz über dessen Kopf und murmelt ihm zu: „Denke daran, du bist nur ein Mensch."

Der Weg eines römischen Triumphzuges

Vom Tempel der Bellona zur Porta Triumphalis
Durch die Stadt zum Circus Flaminius und hindurch
Von da zum Circus Maximus und hindurch
Weiter zum Forum Romanum und der Heiligen Straße
Schließlich den Kapitolshügel hinauf
Ziel: der Tempel des Jupiter Optimus Maximus

Erwarten Sie an dieser Stelle eine lästige Verzögerung. Alle, vom Senat über die Trompeter bis hin zu den feindlichen Gefangenen, haben den Vortritt, und die Legionen bleiben draußen vor dem Tor stehen, warten darauf, an letzter Stelle der Parade loszuziehen und den Höhepunkt des Ereignisses zu bilden.

Die Soldaten marschieren durch die Straßen, schultern stolz ihre lorbeergeschmückten Speere und singen Triumphlieder. Einige dieser Lieder enthalten schmutzige Bemerkungen über den Oberbefehlshaber, der die nicht ganz feinen Anspielungen durchgehen lässt, weil es erstens ein ganz besonderer Tag ist und zweitens kein Kaiser, nicht einmal ein triumphierender, es sich leisten kann, die Armee ernsthaft gegen sich aufzubringen. Der Zugweg ist immer derselbe; er führt über einige der großen freien Flächen in Rom, um Kaiser und Heer besser den verehrungsvollen Massen zu zeigen.

Im Jupitertempel, mitten im Herzen Roms und seines Reiches, werden Opfer dargebracht, um dem Gott für dessen Huld gegenüber seinem Volk zu danken. Zu diesen Opfern gehören der goldene Kranz des Triumphators und mehrere makellos weiße Stiere. Weil die Römer von Menschenopfern nichts mehr halten, werden feindliche Anführer, die man gefangen genommen und vorgeführt hat, im Verlies oder auf dem Forum erdrosselt, aber das als Verbrecher und getrennt von der Triumphfeier.

> Der Triumphzug endete am Tempel des Jupiter Capitolinus. Und als sie dorthin kamen, standen sie still, wie es alter Brauch war, bis jemand die Nachricht brachte, dass der feindliche Anführer tot war. Das war Simon, der Sohn des Giora, den man unter den Gefangenen mitgeführt hatte; dann hatte man ihm einen Strick übergeworfen und ihn zu einem dafür vorgesehenen Platz auf dem Forum gezerrt, während ihn jene schlugen, die ihn dorthin brachten [...] Als sein Ende gemeldet wurde, stießen alle einen lauten Freudenschrei aus.
>
> Josephus, *Der Jüdische Krieg* 7,153–155 (7,5,6)

Nicht nur die triumphierenden Legionen werden die Spiele besuchen, die nach einem Triumphzug so gut wie sicher im Kolosseum stattfinden. Dieses ausverkaufte Amphitheater erscheint auf einem Sesterz des Titus oder Vespasian.

Nach den Zeremonien werden die Schlussgebete gesprochen und die Legionen werden weggeführt – um sich in Zivilisten zu verwandeln, die mindestens eine Woche feiern. Die Feiern schließen wahrscheinlich Spiele im Kolosseum ein, wo einige der beim Feldzug gemachten Gefangenen ein blutiges, aber spektakuläres Ende finden werden.

Wie Ihnen jeder Legionär bestätigen wird, ist die Entlassung nach einem Triumph die beste Art, eine Soldatenlaufbahn abzuschließen.

Nunc dimittis

Aus der Armee entlassen werden können Sie unter einer von vier Rubriken in der Stammrolle der Legion.

1. Die *missio causaria* ist für jene, die Verletzungen erlitten haben, die sie untauglich für den weiteren Militärdienst machen. Diese Verletzungen machen sie vielleicht zum Krüppel, sind vielleicht aber auch nur kleinere Gebrechen, die es einem Legionär nicht erlauben, seinen Dienst korrekt zu versehen. In beiden Fällen wird der Patient gründlich untersucht, bevor die Ärzte widerwillig verkünden, dass Rom für seine Investitionen in die Ausbildung dieses angehenden Exsoldaten keine weitere Gegenleistung erhalten wird. Eine *missio causaria* ist ein ehrenvoller Abschied und mit eingeschränktem Recht auf Abfindung je nach Länge der Dienstzeit verbunden.

2. Die *missio ignominiosa* ist keine ehrenvolle Entlassung. Ganz im Gegenteil. Dieser Abschied verkündet vor aller Welt, dass die Armee den Entlassenen als untauglich für jede militärische Umgebung ansieht. Auf jeden Fall will die römische Gesellschaft mit so einem Mann nichts zu tun haben. Er darf weder in Rom leben, noch jemals eine Stelle im kaiserlichen Dienst antreten. Egal welches Verbrechen zu dieser Entlassung geführt hat, es hat dem Täter wahrscheinlich auch eine derart scharfe Auspeitschung eingetragen, dass er die Narben sein Leben lang als ein weiteres Schandmal behalten wird.
3. Die *missio honesta* ist eine ehrenvolle Entlassung. Das ist bei Weitem die beste Rubrik, in der man auftauchen kann. Sie haben Ihre Dienstzeit zur vollen Zufriedenheit Ihres Kaisers und der Armee beendet, und Sie haben Anspruch auf eine Abfindung in voller Höhe und weitere Privilegien, die damit einhergehen, ein Ex-Soldat Caesars zu sein.
4. *Mortuus est* ist die alternative Methode, die Armee zu verlassen: Man stirbt.

Auxiliare bekommen ein besonderes Bronzetäfelchen, das ihr Ausscheiden aus der Armee festhält. Legionäre sind schon Bürger, und weil die Reichsverwaltung in der Überzeugung lebt, dass sie sowieso gute Akten über all ihre Bürger hat, braucht man keine weiteren Dokumente. Akten einsehen kann man immer noch – zum Beispiel im Tabularium, dem massiven Archivgebäude auf dem Kapitol. Ein Mann, der den Anspruch erhebt, Veteran zu sein, kann dies auf Anfrage durch die zuständigen Behörden bestätigt bekommen, und die Akte lässt sich schwerer fälschen als eine Bronzetafel. Trotzdem tun

Alte Männer, die meisten von Wunden entstellt, dienen das dreißigste oder vierzigste Jahr. Nicht einmal für die Entlassenen ist der Militärdienst wirklich zu Ende.

(Pannonische Soldaten machen 14 n. Chr. Stimmung für ihre Entlassung.)

Tacitus, *Annalen* 1,17,2–3

Traian zeichnet nach einer Schlacht Soldaten aus. Ein Grund, weshalb der General im Gefecht so nahe an der vordersten Reihe bleibt, liegt darin, dass er auf diese Weise persönlich Heldentaten zur Kenntnis nehmen kann. Beachten Sie die Gefangenen im Hintergrund, die in ein ungewisses Schicksal weggezerrt werden.

sich manche Legionäre, die en bloc entlassen wurden, zusammen und errichten aus diesem Anlass einen kleinen Gedenkstein.

Das ist ein großer Moment. Endlich, nach bis zu einem Vierteljahrhundert reglementierten Daseins, in dem Dienstrollen und Trompetenstöße jede Stunde des Tages bestimmten, ist der Ex-Legionär ein freier Mann. Er kann entscheiden, wann er aufstehen muss und was er zum Frühstück isst. Das klingt großartig, bis ihn die Erkenntnis einholt, dass zur Freiheit auch die Notwendigkeit gehört, sich ein Bett zu besorgen, aus dem er aufstehen kann, und sich um etwas Essbares zum Frühstück zu kümmern. Nachdem andere gut 25 Jahre lang solche „Kleinigkeiten" für ihn erledigt haben, ist es schon ein kleiner Schock, wenn einem dämmert, dass sie nicht einfach von selbst passieren.

Wie geht es weiter? Ihre Möglichkeiten

Wer sich im unübersichtlichen Chaos des Zivillebens völlig aufgeschmissen fühlt, kann sich für den drastischen Ausweg entscheiden – er macht kehrt, geht zur Kaserne zurück und verpflichtet sich weiter. Schließlich ist ein Mann, der als Teenager zu den Adlern gegangen ist, noch für zehn, zwanzig Dienstjahre gut.

Andere verschluckt eine konkurrierende Institution, die der Ehe. Es ist nicht unüblich für einen Legionär, eine Frau im *vicus* vor dem Lager zu haben, der nur der Titel einer Ehegattin fehlt und die mit ihren kleinen Rackern darauf wartet, dass der entlassene Legionär zurückkommt und eine anständige Frau aus ihr macht. Mit seinen im Lager aufgebauten Beziehungen und der pauschalen Abfindung in bar, die rund 14 Jahresgehältern entspricht, hat schon so mancher Ex-Legionär ein Profit bringendes Geschäft aufgebaut, das seine frühere Einheit mit Dienstleistungen versorgt, ob er sie nun mit Rohstoffen beliefert oder ihre menschlichen Grundbedürfnisse deckt.

Viele andere haben in ein Geschäft fern von der Kaserne eingeheiratet, dadurch Anteile an einem gut gehenden Betrieb erworben und eine Frau aus der Nachkommenschaft ihres Geschäftspartners. Wer mit dem Gedanken spielt, einen naiven Veteranen um seine Investitionen zu betrügen, den schreckt normalerweise die Aussicht ab, dass mehrere kantige und verständnislose Ex-Stubenkameraden seines Opfers vorbeikommen und mit ihm darüber plaudern könnten, wo das Geld hin ist.

Eine Alternative bildet der Neuanfang in einem neuen Land. Wenn die Armee gerade einen frischen Landstrich erobert hat, wie kann man ihn besser ruhighalten, als massenhaft entlassene Legionäre in einer neugegründeten Stadt anzusiedeln? Aus Roms Sicht können beide Seiten dabei nur gewinnen – die Legionäre können bei der Sorte Leute wohnen bleiben, an deren Gesellschaft sie gewöhnt sind, und im Notfall können sie statt ihrer Zivilkleidung Rüstungen anziehen und als ein voll ausgebildetes und operationsbereites Korps wieder in Erscheinung treten. Natürlich werden die Eingeborenen, die ihr Land an die Siedler verloren haben, ein bisschen nachtragend sein, aber so reagieren eroberte Leute nun mal sowieso, sonst bräuchte man ja keine Legionäre gegen sie. Immerhin sollten diejenigen, die sich in der Heimat eines anderen niederlassen, sich vor Augen halten, dass man Fingerspitzengefühl braucht, ehe die Enteigneten in die neue Weltordnung und den Aufschwung einbezogen sind, die die Romanisierung eines neuen Gebiets üblicherweise mit sich bringt.

Wenn Ex-Auxiliare angreifen

Es gibt einen Grund, warum man aus entlassenen Auxiliaren beim Ausscheiden römische Bürger macht, und der liegt nicht nur darin, sie während der Dienstzeit loyal zu halten. Wenn der Auxiliar seinen Dienst beendet hat, kennt er die römische Armee mit all ihren Stärken und Schwächen in- und auswendig. Das kann einen früheren Auxiliar zu einem gefährlichen Feind machen, falls er je beschließt, zu seinem Volk zurückzukehren und sein Wissen gegen Rom zu verwenden. Der Niederlage am nächsten war Rom im Jahr 90 v. Chr., als seine Bundesgenossen rebellierten und Rom gegen Armeen antreten musste, die an Bewaffnung, Rüstung, Disziplin und Ausbildung ebenbürtig waren. Aber selbst einzelne Auxiliare können gefährlich werden, wenn sie auf die schiefe Bahn geraten, wie die folgende Schurkengalerie zeigt.

- **133 v. Chr. Jugurtha**: Er diente unter dem General Scipio Aemilianus in Hispanien und zeichnete sich bei der Belagerung von Numantia aus. Später riss er die Königsherrschaft über Numidien an sich. Nach mehreren Jahren Krieg gegen Rom – in denen er die

Armee des Aulus Albinus zur Kapitulation zwang – wurde er zuletzt von Gaius Marius besiegt.

- **73 v. Chr. Spartacus**: Berichten zufolge war Spartacus ursprünglich Mitglied einer thrakischen Einheit in römischen Diensten, wurde bei seiner Entlassung aber Bandit. Gefangen und zum Gladiatorendasein in der Arena verurteilt, brach er aus und sammelte eine Armee aus Sklaven und den Besitzlosen Italiens. Er verheerte Italien von einem Ende zum anderen und wieder zurück, bis ihn der spätere Triumvir Licinius Crassus endlich besiegte.
- **9 n. Chr. Arminius**: Dieser Verrat schmerzt immer noch, denn Arminius, ein Kriegshäuptling des Germanenstammes der Cherusker, war zugleich ein Römer aus dem Ritterstand und ein Offizier in den Auxilia. Er genoss das Vertrauen des Quinctilius Varus und missbrauchte es, um drei römischen Legionen in einen Hinterhalt zu locken, worauf sie im Teutoburger Wald völlig ausgelöscht wurden. Arminius kam später in Parteikämpfen zwischen seinen befreiten Völkern um.
- **17 n. Chr. Tacfarinas**: Der frühere Soldat aus den Auxilia verlegte sich nach seiner Entlassung auf die Räuberei und wurde ein Stachel im Fleisch der Römer in Numidien. Eine Armee nach der anderen wurde gegen seine hochmobilen Freischärler ausgeschickt, aber es dauerte Jahre, bis die Römer ihn bei Auzia einschlossen und töteten.
- **69 n. Chr. Gaius Julius Civilis**: Dieser Mann war römischer Bürger, verleitete aber ein ganzes Korps batavischer Auxiliare dazu, vereint mit anderen Einheiten der gallischen Auxilia von Rom abzufallen. Sie belagerten die demoralisierten Legionäre in Castra Vetera am Rhein und stifteten einige zur Desertion an. Schließlich schlugen die Römer unter Petillius Cerialis die Revolte nieder, aber Civilis schlug sich gut genug, um Bedingungen für sich auszuhandeln. Danach verschwand er aus der Geschichte.

Grabstein des Rufus Sita, eines thrakischen Kavalleristen (RIB 121). Reiter mögen die Vorstellung, dass sie die Ewigkeit damit verbringen, den Feind niederzutrampeln, sodass Steine wie dieser in großen Stückzahlen hergestellt werden.

Ideen für den Grabstein

Der Dienst in der römischen Armee ist etwas, womit man sein Leben lang angeben darf, aber warum nur so kurz? Die Nachwelt soll ruhig wissen, wer Sie waren und was Sie und Ihre Waffenbrüder geleistet haben. Die Mitgliedschaft im Legionärsbestattungsverein hat sicher genug Geld gebracht für ein anständiges Begräbnis und eine schlichte Grabplatte, aber ein kleiner Aufpreis – vielleicht zahlen den Ihre Erben, weil das Testament es so vorschreibt – kann ein eindrucksvolleres Grabmal hinterlassen.

Schließlich haben Sie 20 Jahre als ein Teil der besten Kriegsmaschine verbracht, die man je gesehen hat. Sie waren einer der gefürchtetsten und eindrucksvollsten Männer auf der Welt – Sie waren ein Legionär Roms.

Marcus Julius Sabinianus war einmal Matrose bei der Flotte von Misenum, und als solcher hat er ein gutes Recht auf Speer und Schild, die er auf seinem Grabstein vorzeigt. (CIL III 6109)

> Longinus, Sohn des Sdapezematygus aus Sardika (Sofia), Soldat mit doppeltem Sold (*duplicarius*) aus der ersten Thraker-Ala, der 15 Jahre diente und mit 40 starb, liegt hier begraben. Errichtet von seinem Erben gemäß seinem Testament.
> (Grabinschrift eines Kavalleristen)
> *Roman Inscriptions of Britain* 201

Im Idealfall denken Sie an eine Stele (eine Säule im Kleinformat) oder zumindest einen hübschen freistehenden Stein. Für diejenigen, die eine Erdbestattung der Verbrennung vorziehen, gibt es auch die Option, die Ewigkeit in einem Steinsarg zu verbringen, einem Sarkophag, auf dem Ihnen vier Seiten und ein Deckel eine ausführliche schriftliche und bildliche Darstellung Ihrer Karriere gestatten.

Ein Kavallerist sehnt sich bestimmt nach einem Stein, der die glorreiche Jugendzeit zeigt. Er kann sich mit wehendem Mantel und stoßbereitem Speer abbilden lassen, wie er den Feind für immer unter den Hufen seines Rosses zermalmt.

Auxiliare lassen sich gern in voller Rüstung darstellen, aber ein römischer Legionär spielt auf seine Militärvergangenheit vielleicht lieber nur mit ein paar Ausrüstungsgegenständen im Basrelief seines Grabsteins an. Allerdings geben die *armillae* und *torques* oder andere Auszeichnungen für vorbildlichen Dienst hervorragende Randverzierungen für den Stein ab.

Die Inschrift kann ausführlicher sein, als der Platz scheinbar zulässt, weil es eine Anzahl von Abkürzungen gibt, die das Grabsteinlesen für Eingeweihte leicht machen.

> L. DVCCIVS L. (F.) VOLT. RVFINVS VIEN SIGNIF. LEG. VIIII AN. XXIIX H.S.E.
> Lucius Duccius Rufinus aus Vienne, Sohn des Lucius, aus dem Stimmbezirk Voltinia, Feldzeichenträger der IX. Legion, 28 Jahre, liegt hier begraben.
> *Roman Inscriptions of Britain* 673

Exemplum optimum

D.M.	Den Geistern der Verstorbenen
M. PETRONIVS L.F.	Marcus Petronius, Sohn des Lucius
MEN. VIC.	Stimmbezirk Menenia, aus
Vicenza ANN. XXXVIII	lebte 38 Jahre
SIGN. FVIT	War Feldzeichenträger
MILITAVIT ANN. XVIII	Diente 18 Jahre
LEG. XIIII GEM	Legio XIV Gemina
H.S.E.	Liegt hier begraben

(Aus Viroconium (Wroxeter)), *Roman Inscriptions of Britain* 294

1. Wahrscheinlich wollen Sie mit den Buchstaben D(is) M(anibus) anfangen, „den Geistern der Verstorbenen".
2. Danach kommen die Pflichtelemente, Vorname (*praenomen*) und Familienname (*nomen gentile*) mit der Erwähnung Ihres Wahlbezirks als Bürger.
3. Ergänzen Sie Ihren ererbten oder erworbenen Beinamen (*cognomen*), falls Ihre Kameraden Ihnen nicht einen wie „Glupschauge" oder „Warzi" verpasst haben.
4. Nennen Sie anschließend Herkunftsort, Rang und Legion.
5. Fügen Sie schließlich Ihr Alter hinzu und vielleicht noch eine Notiz, ob Sie Ihr Grab selbst bezahlt haben oder ob das eine trauernde Witwe oder ein Erbe getan hat.

Im Bildteil das Relief bitte so detailliert und lebensecht wie möglich machen und besonders auf Einzelheiten an Rüstung und Waffen achten. Spätere Historiker sind Ihnen dafür sehr dankbar.

De re militari

- Für die Wiedergewinnung verlorener Gebiete gibt es normalerweise keine Triumphe, aber für Titus, der Judäa zurückerobert hatte, machte man eine Ausnahme.

- Den Triumphwagen des Generals ziehen vier Pferde (es ist eine *quadriga*).

- Die hochmütige Intoleranz von Legionsveteranen, die rund um Camulodunum (Colchester) in Britannien siedelten, führte zur Auslöschung der ganzen Stadt im Boudicca-Aufstand.

- Ein General, der keinen Triumph erringt, kann Anspruch auf eine kleinere Zeremonie namens *ovatio* haben.

- Die Todesursache erscheint normalerweise nicht auf dem Grabstein.

- Obwohl allein der Kaiser das Recht zu einem Triumph besitzt, kann der General, der ihn für den Kaiser errungen hat, die äußeren Zeichen eines Triumphators verliehen bekommen, sogenannte *ornamenta triumphalia*.

- Soldaten im Dienst setzen als Testamentsvollstrecker lieber Legionskameraden als Familienangehörige ein, weil diese bei ihrem Tod schneller erreichbar sein dürften.

PIKTEN
NORDSEE
IX
XX
II
XXII
Teutoburger Wald
VI
GERMANEN
Elbe
X
Seine
Lutetia
(Paris)
VII
XVII
Donau
ATLANTIK
Alesia
XV
XVI
VII
XIII
XXI
VII
Rhône
IV
Tejo
Rom
Gades
(Cadiz)
III
BERBER
Römische Zahlen markieren den
ungefähren Standort der jeweiligen Legion
500 km
Grenze des Römischen Reiches im
Jahre 100 n. Chr. unter Kaiser Traian

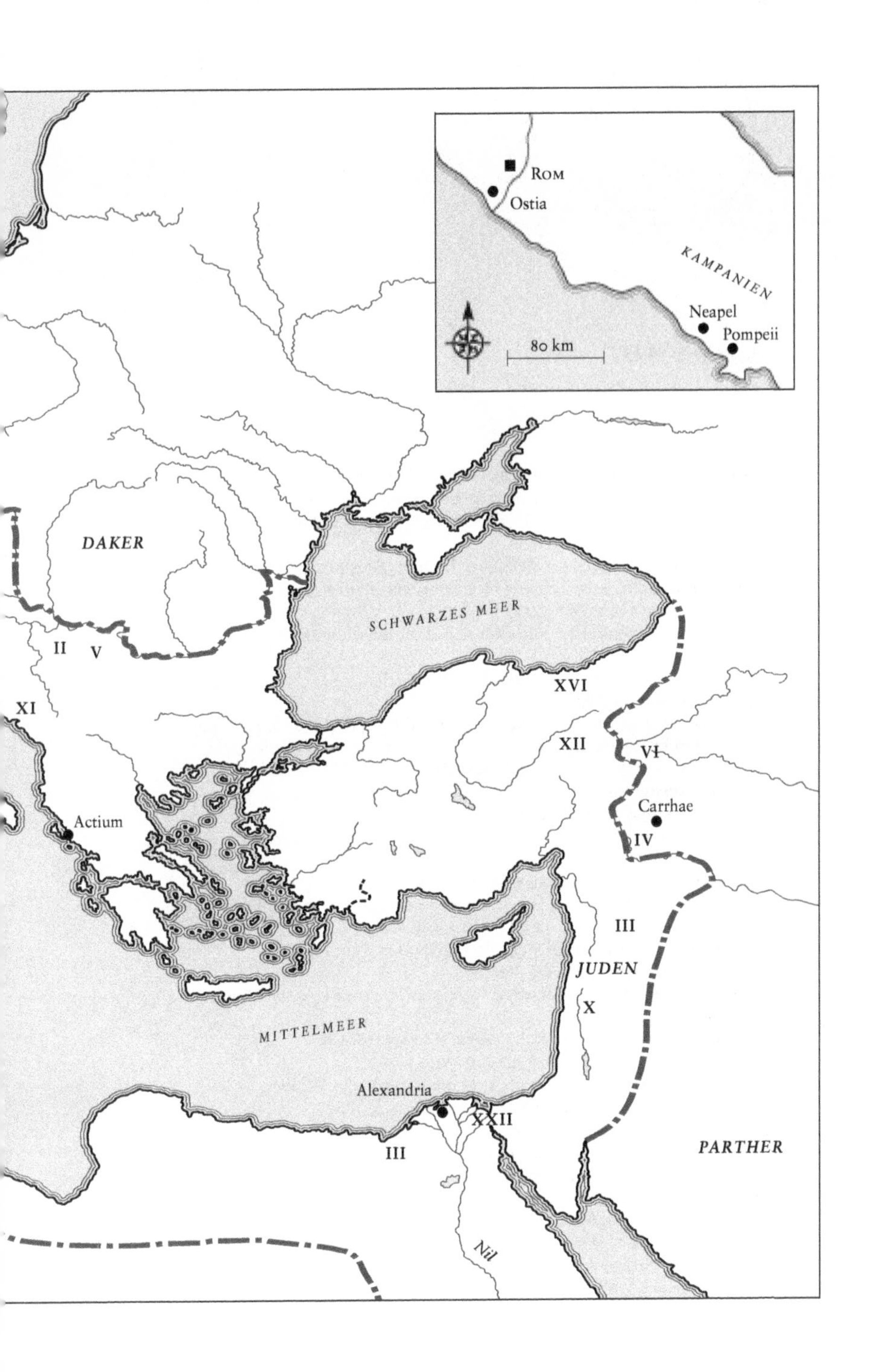
Rom
Ostia
Kampanien
Neapel
Pompeii
80 km
DAKER
II
V
XI
Actium
SCHWARZES MEER
XVI
XII
VI
Carrhae
IV
III
JUDEN
X
MITTELMEER
Alexandria
XXII
III
Nil
PARTHER

Glossar

Actium Die entscheidende Seeschlacht 31 v. Chr., die Augustus und seine Nachfolger zu Alleinherrschern der römischen Welt machte
ala Wörtlich ein „Flügel“ Kavallerie; ein Regiment mit 500 Reitern (die wenigen *alae miliariae* haben 1000)
aquila Hauptfeldzeichen der römischen Legion; getragen vom *aquilifer*
armillae Armreife, Auszeichnung für militärische Verdienste
barritus Germanisches Kriegsgeschrei
Bataver Germanenstamm, unterteilt sich in nützliche romtreue Auxiliare und lästige Feinde
buccellatum Zwieback-Notration für Verzweifelte
caliga Römische Militärsandale
canabae Siedlung vor dem Legionslager zur Verpflegung und Unterhaltung der Legionäre (häufig entwickelt sich außerdem ein regelrechtes Dorf; dann spricht man von einem Lager-*vicus*)
capsa Ausrüstungsbehälter eines römischen Sanitäters
castigatio Prügelstrafe als förmliche Strafmaßnahme
cataphractarius Schwer gepanzerter Kavallerist auf einem schwer gepanzerten Pferd
centuria Zenturie, Verwaltungseinheit von 80 Mann
cohors Auxiliareinheit (mit 500 Mann, *cohortes miliariae* mit 1000) oder eine der zehn taktischen Untereinheiten einer Legion
Consul Zur Zeit der Republik höchstes politisches Amt; Consuln kommandierten häufig die Armeen
contubernium „Stubenbelegschaft“ aus acht Mann, die eine Unterkunft bzw. ein Zelt teilen
cornicen Trompeter (er spielt das *cornu*, eine Art Horn; die gerade Trompete, *tuba*, bläst der *tubicen*)
cornicularius Ranghoher Unteroffizier mit Verwaltungsaufgaben
Dakien Grob umrissen das heutige Rumänien
dezimieren Jeden zehnten Mann einer straffälligen Einheit töten
dilectus Zwangsweise Aushebung von Truppen in Notzeiten
dolabra Grab- und Schanzwerkzeug
dromedarii Kamelreiter
equites singulares Augusti Kaiserliche Gardekavallerie, vorzugsweise aus Germanen rekrutiert
Euphrat Der Fluss ist zugleich die römisch-parthische Grenze
exploratores Kavallerieeinheit zu Aufklärungszwecken

falx Fiese dakische Waffe
framea Germanischer Kampfspeer
furca Gegabelter Tragstock für das Legionärsgepäck
fustuarium Schwere, fast immer tödliche Prügelstrafe
gladius (Hispaniensis) Legionärsschwert
Illyrien Ursprünglich der westliche Balkan bis zur Donau, später nur ungefähr das heutige Kroatien
immunis Soldat mit Sonderaufgaben
legatus legionis Kommandant einer Legion, fast immer ein Senator
lorica Rüstung, meistens *segmentata* (Schienenpanzer), *hamata* (Kettenpanzer) oder *squamata* (Schuppenpanzer)
Manipel Überholte taktische Einheit von 120 Mann
Marius, Gaius General, der die römische Armee tiefgreifend veränderte
Marsfeld Der Campus Martius, wo sich die Römer zu vielen Abstimmungen, zur Musterung und zu Waffenübungen versammelten
miles gregarius „Soldat in der Herde", einfacher Soldat
Militärtribun Einer von sechs ranghohen Offizieren der Legion, befehligt in der Schlacht 1–2 Kohorten. Außer dem *tribunus laticlavius* (s. u.) sind alle Tribunen junge Mitglieder des Ritterstandes
missio honesta Ehrenvolle Entlassung
missio ignominiosa Unehrenhafte Entlassung
munerum indictio Extradienst als Strafe
munifex Ein Soldat ohne Dienstgrad oder Privilegien
Numidien Afrikanische Region im Gebiet des heutigen Libyen und Tunesien
Pannonien Römische Provinz zwischen dem Balkan und Rumänien, unter Traian geteilt
papilio „Schmetterling", kleines Soldatenzelt; fasst acht Mann, falls keiner davon Bohnen gegessen hat
Parthien Mächtiges Königreich im Osten des Römischen Reiches
patera Allzweckess- und -trinkgeschirr
pedes Infanterist (Mehrzahl *pedites*)
peregrinus Jemand ohne römisches Bürgerrecht, der sich in römischem Gebiet aufhält oder dort wohnt
Phalanx Dicht geschlossene Formation antiker Speerkämpfer, die ihre Blütezeit unter den Makedonen erreichte
phalerae Dekorative Medaillen, Auszeichnung für militärische Verdienste
Pharsalos Schlacht 48 v. Chr., die die Vorentscheidung des römischen Bürgerkrieges für Caesar brachte
Pikte Kriegerischer Bewohner Kaledoniens
pilum Legionärsspeer
praetorium Generalszelt im Feld; Quartier des Generals im Lager
praefectus castrorum Ehemaliger *primus pilus*, verantwortlich für den täglichen Dienstbetrieb im Lager
prafectus cohortis/praefectus alae Kommandeure von Auxiliareinheiten, junge Mitglieder des Ritterstandes
primus pilus Ranghöchster Zenturio einer Legion
principia Legionshauptquartier und Verwaltungszentrum
probatio Tauglichkeitsprüfung für Legionäre
pugio Dolch
Ritter Ursprünglich römischer Kavallerist, jetzt der zweithöchste Stand der Oberschicht nach dem Senatorenstand
Sarmaten Gruppe kriegerischer Stämme im Norden des Schwarzen Meeres

scutum Schild
sicarius „Messerstecher", Meuchelmörder; fanatischer jüdischer Freiheitskämpfer
signifer Feldzeichenträger
spatha langes Kavallerieschwert
testudo Die berühmte „Schildkröten"-Formation, in der die Legionärsschilde einen nach allen Seiten geschlossenen Panzer bilden
tribunus laticlavius Stellvertretender Kommandant der Legion, ranghöchster der sechs Militärtribunen und anders als die fünf *tribuni angusticlavii* ein angehender Senator
Triumvirat Verbindung dreier mächtiger Politiker, die gemeinsam die Welt zu beherrschen versuchten, aber am Ende miteinander um die Beute kämpften; dem informellen von Caesar, Pompeius und Crassus folgte 43 v. Chr. das offizielle Triumvirat von Antonius, Oktavian(-Augustus) und Lepidus
turma Kavallerietrupp
Vetera Großes Legionslager am Rhein (heute Birten bei Xanten)
vexillatio Kleine Einheiten, die aus Teilen vor allem einer Legion für besondere Zwecke zusammengestellt wurden; verstärkten bei Feldzügen in anderen Gebieten die dort komplett eingesetzten Legionen
viaticum Reisegeld für Rekruten
vitis Stock des Zenturio aus Rebholz
voluntarii Rekruten, die freiwillig zur Armee wollen

Danksagung

Das Schreiben dieses Buches ist mir durch die freundliche Hilfe Geschichtsbegeisterter aus dem Gebiet der römischen Militärgeschichte erleichtert worden, seien es meine Historikerkollegen oder Reenactment-Gruppen zur römischen Armee und die Hersteller ihrer Ausrüstung. Sie haben mich mit Details aus dem Leben versorgt, an die ich sonst unmöglich gekommen wäre. Wenn dieses Buch ein authentisches Gefühl vermittelt, wie es war, wenn man mit schwerem Gepäck in Rüstung marschierte, dann gebührt der Dank den Leuten, die es tatsächlich getan haben. An erster Stelle unter denen, die meine Unkenntnis auf militärischem Gebiet schonend ausgeglichen haben, sind Nigel Berry und Adrian Goldsworthy zu nennen, der mir sowohl persönlich als auch in Form von Büchern wie *The Complete Roman Army, In the Name of Rome* und *Roman Warfare* geholfen hat.

Literatur

Quellen

(in chronologischer Reihenfolge)

Polybios, *Historien*. Achten Sie besonders auf seine Schilderungen der späteren Makedonischen Kriege – Teile dieser Feldzüge hat er selbst miterlebt.

Caesar, *Der Gallische Krieg / Der Bürgerkrieg*. Eigenhändig von einem der berühmtesten Feldherren der Antike verfasst – was will man mehr?

Sallust, *Der Krieg gegen Jugurtha*. Militärgeschichte und Politik mischen sich in dieser Beschreibung eines Kriegs in Afrika durch einen Soldaten und Staatsmann in einer Person.

Vitruvius, *De architectura*. Überwiegend staubtrocken, aber blättern Sie vor bis Buch X und erfahren Sie alles über Belagerungen und Belagerungsartillerie.

Josephus, *Der Jüdische Krieg*. Führte nicht nur eine Armee gegen die Römer, sondern überlebte auch noch und konnte davon erzählen. Noch ein Bericht über Rom im Krieg aus erster Hand.

Frontinus, *Die Strategeme*. Sammlung von Militäranekdoten durch einen General, der später Roms oberster Aquäduktverwalter und ein hoher Politiker wurde.

Plutarch, *Leben berühmter Griechen und Römer*. Zwar war Plutarch kein Militär, aber seine Biographien enthalten Details über Schlachten und Zwischenfälle, die anderswo nicht erhalten sind.

Tacitus, *Annalen / Historien / Germania* und *Agricola*. Tacitus war zwar selbst kein Militär, bietet aber mitreißende Schlachtberichte, oft gestützt auf persönliche Gespräche mit Kriegsteilnehmern.

Arrian, *Aufmarsch gegen die Alanen*. Augenzeugenbericht über die römische Armee auf dem Marsch von einem der besten Militärhistoriker der Antike.

Ammianus Marcellinus, *Römische Geschichte*. Der größte Militärhistoriker der Spätantike erzählt von Roms Feldzügen gegen die Perser, an denen er selber teilnahm.

Notitia dignitatum. Wer wissen will, welche Legionen bis ins 4. Jh. überlebt haben – ein Verwaltungshandbuch, komplett mit Dienstwappen, listet Behörden und Einheiten auf.

Vegetius, *Epitome des Militärwesens*. Dieser Leitfaden aus der Spätantike verweist häufig auf die Verhältnisse der großen Jahrhunderte Roms.

Darstellungen

(sortiert nach zunehmender inhaltlicher Spezialisierung)

Peter Connolly, *Die römische Armee*. Hamburg 1976 (viele Nachauflagen, Teilabdruck der Bilder im Band *Die alten Römer*. Hamburg 2001.)

Ders., *Die römische Armee: Tiberius Claudius Maximus, Soldat im Dienste Trajans*. Hamburg 1996. Theoretisch lauter Jugendbücher.

Die großartigen Illustrationen, von denen einige in diesen Band übernommen wurden, sind ein Geheimtipp aller Fachwissenschaftler.

Marcus Junkelmann, *Die Legionen des Augustus. Der römische Soldat im archäologischen Experiment.* Mainz 2003. Vom prominentesten deutschen Vertreter der experimentellen Archäologie.

Graham Sumner, *Die römische Armee: Bewaffnung und Ausrüstung.* Stuttgart 2007. Zur kaiserzeitlichen Armee; v. a. für die Bedürfnisse von Reenactment-Gruppen gedacht.

Yann Le Bohec, *Die römische Armee.* Wiesbaden 1993 (Ndr. Hamburg 2009). Modernste Übersicht zur Armee der Hohen Kaiserzeit, gut verständlich, leider durch die Übersetzung etwas verkratzt.

Alfred v. Domaszewski, *Die Rangordnung des römischen Heeres.* Einführung, Berichtigungen und Nachträge von Brian Dobson. Bonn 1967 (Ndr. 1981). Versuch einer Systematik der gesamten Militärhierarchie, manchmal zu optimistisch, aber unübertroffen detailreich. Großer Anhang mit Inschriftenmaterial.

Johannes Kromayer / Georg Veith, *Heerwesen und Kriegführung der Griechen und Römer.* München 1928 (Ndr. 1963). Trockenes, aber zuverlässiges Handbuch.

Hans Delbrück, *Geschichte der Kriegskunst. Teil 1: Von den Perserkriegen bis Caesar.* Berlin[3] 1920; *Teil 2: Vom Kampf der Römer und Germanen bis zum Übergang ins Mittelalter.* Berlin[3] 1921. (Ndr. in einem Band: Hamburg 2006.) Bahnbrechende, lebhaft und transparent geschriebene Untersuchung mit viel Sinn für die Praxis.

Michael M. Sage, *The Roman Republican Army: A Sourcebook.* London / New York 2008.

J. B. Campbell, *The Roman Army, 31 BC – AD 337: A Sourcebook.* London / New York 1994. Die derzeit bequemste Quellenauswahl in englischer Übersetzung mit kurzen Kommentaren.

Emil Ritterling, Legio. *Paulys Realencyclopädie der classischen Altertumswissenschaft* XII 1 (1924) –XII 2 (1925), 1211–1829. Klassische Übersicht zur Geschichte der einzelnen Legionen, aktualisiert durch den internationalen Tagungsband von:

Yann Le Bohec (Hg.), *Les légions de Rome sous le Haut-Empire.* (2 Bde.) Lyon 2000.

John Spaul, *Cohors[2]. The evidence for and a short history of the auxiliary infantry units of the Imperial Roman Army.* Oxford 2000. Ergänzt Conrad Cichorius' RE-Artikel „Cohors" von 1900 zu den Auxiliareinheiten. Das Pendant für die Kavallerie ist:

John Spaul, Ala[2]. *The auxiliary cavalry units of the prediocletianic Imperial Roman Army.* Oxford 1994.

H. D. L. Viereck, *Die römische Flotte.* Classis Romana. Hamburg 1975 (Ndr. 1996). Materialreich, sehr technisch gehalten.

Robin Birley, *Vindolanda. A Roman Frontier Fort on Hadrian's Wall.* London 2009. Stellt den Fundort der spektakulären Schrifttäfelchen und seine Bewohner vor.

Egon Schallmayer, *Der Limes. Geschichte einer Grenze.* München 2006. Kurze Einführung in die moderne Forschung zum obergermanisch-rätischen Grenzsystem.

Valerie A. Maxfield, *The Military Decorations of the Roman Army.* Berkeley / Los Angeles 1981. Die einzige ausführliche Darstellung über römische „Orden und Ehrenzeichen".

Michael P. Speidel, *Emperor Hadrian's speeches to the African Army – a new text.* Mainz 2006. Neuausgabe von Hadrians „Manöverkritik", vgl. S. 45 u. 86. Die Konkurrenz mit mehr wissenschaftlichem Apparat:

Yann Le Bohec (Hg.), *Les discours d'Hadrien à l'armée d'Afrique. Exercitatio.* Paris 2003.

Index

(kursive Seitenzahlen verweisen auf Abbildungen)

Bildnachweis

akg-images/Peter Connolly 83, 170
American Numismatic Society, accession no.1945.203.170 201
British Museum, London 30
City Museum, Gloucester 207
Claire Venables 107, 113
Copyright Dr. Duncan B. Campbell 161 (oben)
Deutsches Archäologisches Institut, Rom 179, 203
Dominic Andrews 110
Landesmuseum, Mainz 35
Ministero Beni e Att. Culturali, Rom 51, 169
ML Design 26, 127
Museo della Civiltà Romana, Rom 94, 97, 117, 134
Museo della Civiltà Romana, Rom/akg-images 87
Musée du Louvre, Paris 9, 56
National Museum, Bukarest 14
Nick Jakins © Thames & Hudson Ltd, London 21, 24, 40, 70, 78, 79, 191, 192
Peter Inker © Thames & Hudson Ltd, London 43, 44, 62, 66, 68, 72, 75, 186
Richard Bryant 103
Roger Wilson 36, 159, 208